X xrew

Sag mal!

Gillian Taylor
Oliver Gray

LONGMAN

Addison Wesley Longman Ltd
Edinburgh Gate
Harlow
Essex
CM20 2JE
England and Associated Companies throughout the World

ISBN 0582 319587

First published in 1983
Printed in Great Britain by Scotprint Limited, Musselburgh, Scotland

The Publisher's policy is to use paper manufactured from sustainable forests.

How to use this book

Sag mal! will prepare you for your Foundation Speaking test (GCSE or Standard Grade) in German.

The book is in two parts: 'Konversation' and 'Szenen'. This is how they work:

Konversation

These are the topics needed for your conversation test. Each topic has:

Vorbereitung: use the phrase boxes to build up as many sentences as you can about yourself. Choose something from each column of the box, and include everything relevant to you. *The more you can say, the better.* Write your sentences down; this will also help with 'informal letters' in your Writing test.

Fragen: exam-type questions referring to the sentences you've prepared. Work with a partner if you can: one of you asks the questions while the other tries to answer from memory.

Wiederholung: cues to start you off on a speech on the topic. Your teacher will tell you if you have to give a talk like this in your exam.

Szenen

These are the topics needed for your role-play tests. Each topic has:

Szenen which show what phrases you need.

Then
Übungen which practice these phrases. If there's a phrase box, you must choose something from each column. It's best to say the answers aloud. When you think you know the phrases, try again but this time cover the phrase box over. You could work with a partner: test each other.

Then check your skills with more
Szenen: role-plays at the end of the topic. They use the same phrases but in a different order. Like your exam, some Szenen use picture cues, and some use cues in German. Again, practise aloud with a partner.
There's some help on page 80.

Wiederholung

Extra material to help with your revision.

Zugabe (pages 65–76): two extra role-plays on each topic. You could save them as a revision check shortly before your Speaking test.

Make a phrase book (pages 77–8): for you to make a revision check list. Find the German on the pages indicated; it's all there, but you'll need to re-read and think.

Compatibility of this new edition with the first edition

This new edition of *Sag mal!*, bringing in colour, German rubrics and new material, is fully compatible with the original edition, so that teachers can use a mixture of both in class.

The changes are:

Conversation topics (pages 1–26) now include:

- some supplementary questions to cover current syllabus requirements;
- modernised phrase-box options, e.g. CD as well as *schallplatte*; new hobbies;
- improved layout.

Role-play topics (pages 28–63) now include:

- additional picture cues, replacing English cues in some exercises;
- modernisations, e.g. prices;
- some supplementary phrases to cover current syllabus requirements;
- some additional lines in some of the model dialogues.

Zugabe (pages 65–76) – supplementary pages – contain:

- one English-cue role-play per topic;
- one open-ended role-play per topic. This can be answered using phrases presented in this book, or any other relevant German;
- references: numbers, cues, instructions, questions.

Inhalt

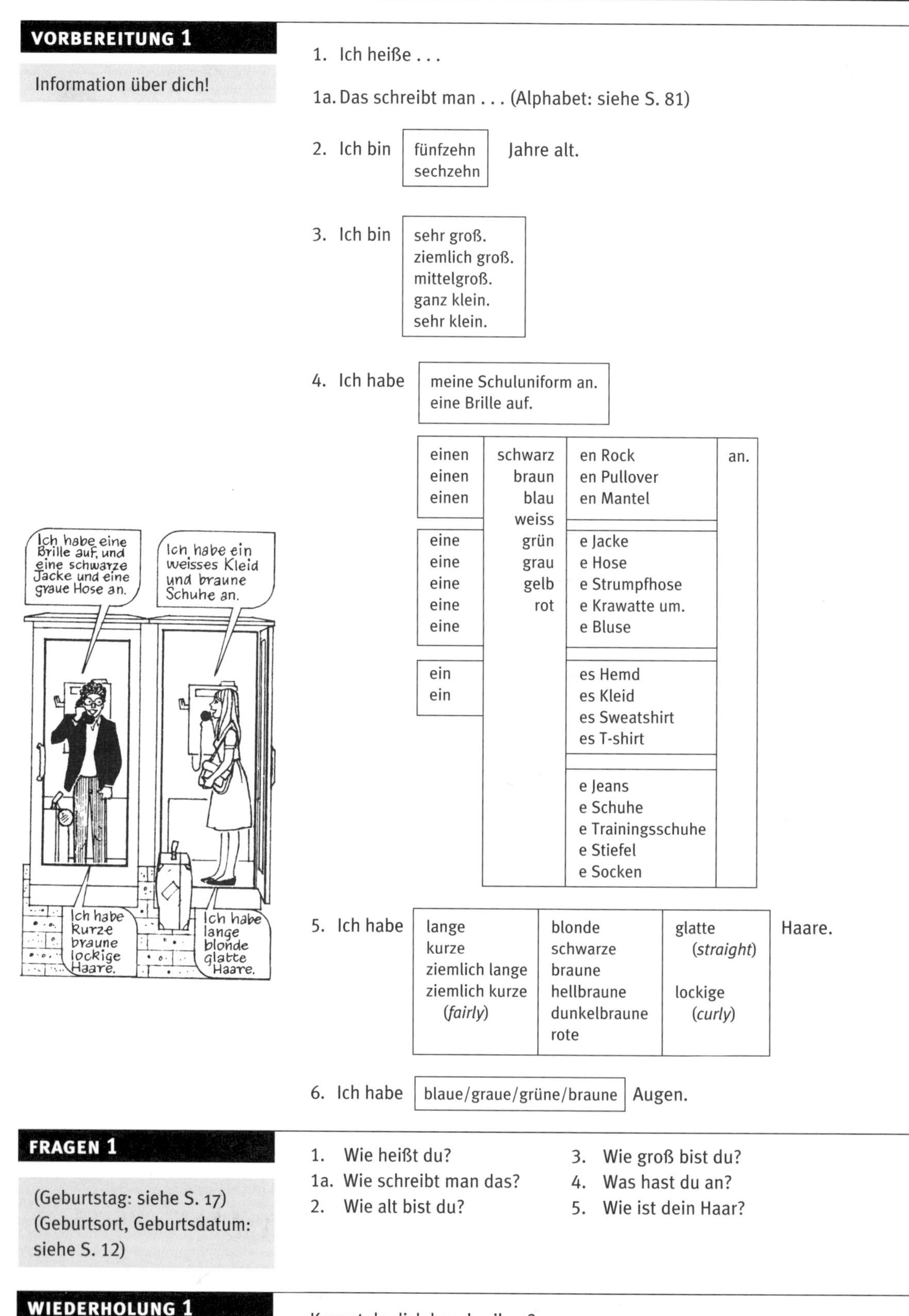

Meine Familie und ich

VORBEREITUNG 1

Information über dich!

1. Ich heiße . . .

1a. Das schreibt man . . . (Alphabet: siehe S. 81)

2. Ich bin [fünfzehn / sechzehn] Jahre alt.

3. Ich bin [sehr groß. / ziemlich groß. / mittelgroß. / ganz klein. / sehr klein.]

4. Ich habe [meine Schuluniform an. / eine Brille auf.]

einen einen einen	schwarz braun blau weiss	en Rock en Pullover en Mantel	an.
eine eine eine eine eine	grün grau gelb rot	e Jacke e Hose e Strumpfhose e Krawatte um. e Bluse	
ein ein		es Hemd es Kleid es Sweatshirt es T-shirt	
		e Jeans e Schuhe e Trainingsschuhe e Stiefel e Socken	

5. Ich habe

lange kurze ziemlich lange ziemlich kurze (*fairly*)	blonde schwarze braune hellbraune dunkelbraune rote	glatte (*straight*) lockige (*curly*)	Haare.

6. Ich habe [blaue/graue/grüne/braune] Augen.

FRAGEN 1

(Geburtstag: siehe S. 17)
(Geburtsort, Geburtsdatum: siehe S. 12)

1. Wie heißt du?
1a. Wie schreibt man das?
2. Wie alt bist du?
3. Wie groß bist du?
4. Was hast du an?
5. Wie ist dein Haar?

WIEDERHOLUNG 1

Kannst du dich beschreiben?

VORBEREITUNG 2

Information über deine Familie und deine Freunde.

1\. Ich habe

Ich habe	einen Bruder. zwei Brüder. drei Brüder. keine Geschwister. eine Schwester. zwei Schwestern. drei Schwestern. eine große Familie. viele Freunde. nicht viele Freunde.

2\.

Mein	Bruder älterer Bruder jüngerer Bruder Vater Stiefvater (*step-father*) Opa (*grandpa*) Onkel Stiefbruder (*step-brother*) Halbbruder (*half-brother*) Zwillingsbruder (*twin brother*) bester Freund	Meine	Schwester ältere Schwester jüngere Schwester Mutter Stiefmutter (*step-mother*) Oma (*granny*) Tante (*aunt*) Stiefschwester (*step-sister*) Halbschwester (*half-sister*) Zwillingsschwester (*twin sister*) beste Freundin

heißt . . .

Nummern: siehe S. 79

Haustiere: siehe S. 8

3\.

Er ist Sie ist	ein Jahr alt.			
	2 zwei 3 drei 4 vier 5 fünf 6 sechs 7 sieben 8 acht 9 neun	10 zehn 11 elf 12 zwölf 13 dreizehn *usw* 16 sechzehn 17 siebzehn *usw*	20 zwanzig 21 einundzwanzig *usw* 30 dreißig 40 vierzig 50 fünfzig *usw*	Jahre alt. Monate alt.

4\.

Er Sie	ist	sehr ziemlich (*fairly*)		groß. klein.
		größer kleiner	schlanker dicker	als ich.
	sieht	gut nicht sehr gut	aus.	

5\.

Er hat Sie hat	lange kurze	blonde schwarze braune rote	glatte (*straight*) lockige (*curly*)	Haare.
	eine Glatze (*is bald*). einen Schnurrbart (*moustache*). einen Vollbart (*beard*).			

6\.

Er Sie	geht	zur Schule. zur Grundschule. zur Hochschule (*college*) in . . . zur Universität in . . .			
		nicht zur Schule.	Er Sie	ist zu	jung. alt.
	arbeitet. ist arbeitslos.	ist verheiratet (*married*). ist geschieden (*divorced*).			

Berufe: siehe S. 25

7\.

Er ist Sie ist	nett. nervig (*irritating*). freundlich. intelligent.	doof (*stupid*). streng (*strict*). locker (*relaxed*).

8\.

Ich verstehe mich	gut ganz gut nicht sehr gut	mit meinen Eltern. mit meinen Geschwistern. mit meinen Freunden.

FRAGEN 2

1. Kannst du deine Familie beschreiben?
2. Wie heißt dein Bruder/deine Schwester/deine Mutter *usw*?
3. Wie alt ist er/sie?
4. Wie sieht er/sie aus?
5. Wie sind seine/ihre Haare?
6. Geht er/sie zur Schule oder arbeitet er/sie?
7. Was für ein Typ ist er/sie?
8. Wie verstehst du dich mit deinen Eltern/Geschwistern/Freunden?

WIEDERHOLUNG 2

Erzähl mir bitte etwas über deine Familie.

VORBEREITUNG 3

Wie sportlich bist du?

1. Ich bin

sehr ziemlich nicht sehr

sportlich.

2. Ich treibe

oft jeden Tag (*every day*) ab und zu (*now and then*) am Wochenende nach der Schule (*after school*) einmal pro Woche (*once a week*) zweimal pro Woche *usw*

Sport.

3a. Ich

spiele gern sehe gern	Fußball Rugby Cricket Squash Basketball Billard Golf Federball Korbball Handball Volleyball Tennis Tischtennis Hockey Eishockey	zu Hause. in der Schule. im Park. auf der Straße. im Jugendklub. in der Stadt (*town*). auf dem Lande (*country*). in den Bergen (*mountains*). im Fernsehen (*television*). am Meer (*sea*). auf dem Fluß (*river*). am See (*lake*). in der Turnhalle (*gym*). im Sportzentrum. im Stadion. im Eisstadion. in der Reithalle (*riding stables*). am Sportplatz. am Rennplatz (*racing track*). mit Freunden. mit meiner Familie. bei meinem Freund (*at my [male] friend's house*). bei meiner Freundin (*at my [female] friend's house*).
mag sehe gern	Gymnastik Boxen Catchen Tanzen Eislaufen Aerobik Rollschuhlaufen Skilaufen Snowboarding Wasserskilaufen Surfen Segeln Rudern Paddeln Bergsteigen Radrennen Motorradrennen Autorennen Autocross	
fahre gern Rad. fahre gern Skateboard. reite gern. jogge gern.		

3b. Meine Lieblingsmannschaft ist . . . [*insert your favourite team*].

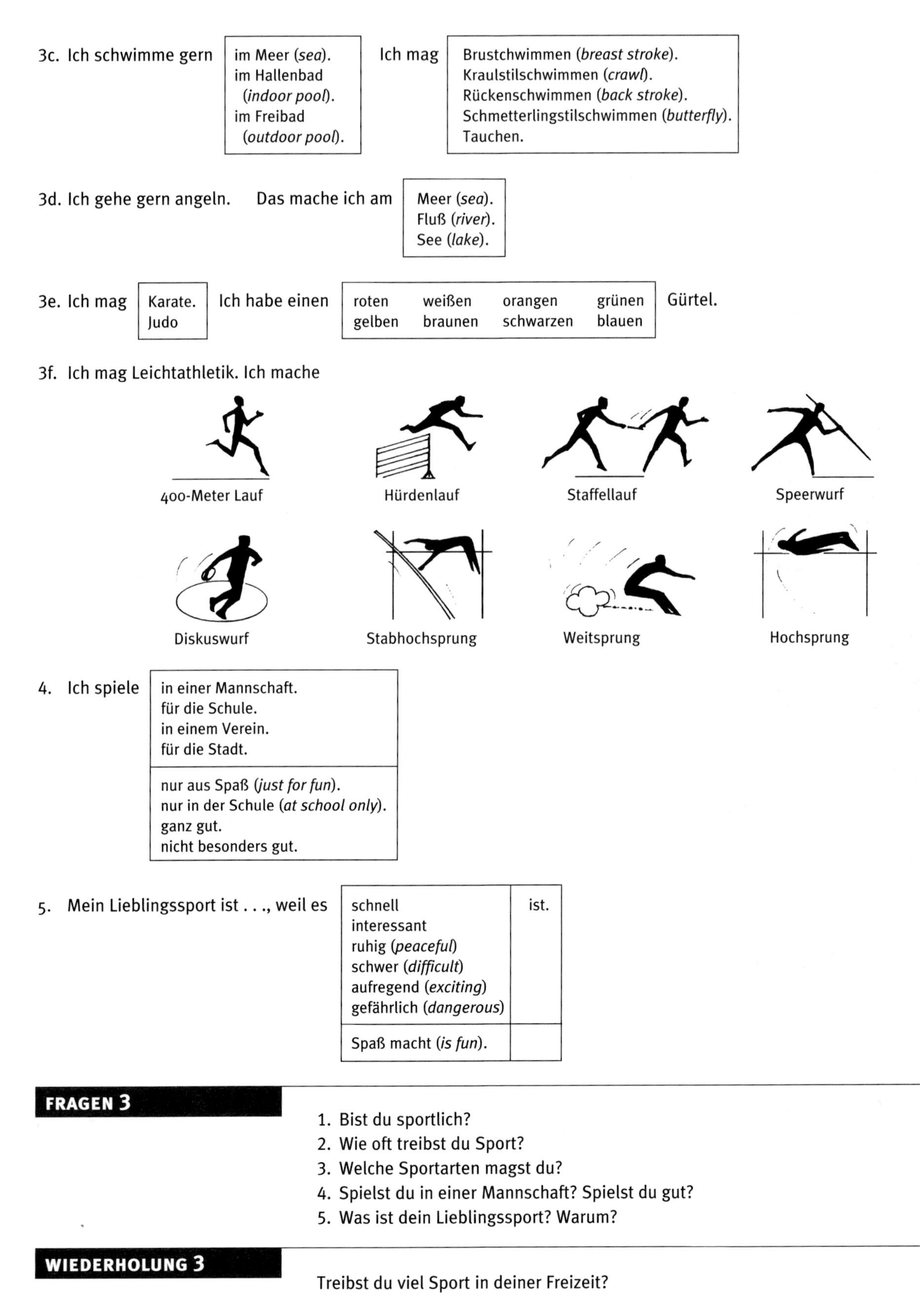

3c. Ich schwimme gern

im Meer (*sea*). im Hallenbad (*indoor pool*). im Freibad (*outdoor pool*).

Ich mag

Brustchwimmen (*breast stroke*). Kraulstilschwimmen (*crawl*). Rückenschwimmen (*back stroke*). Schmetterlingstilschwimmen (*butterfly*). Tauchen.

3d. Ich gehe gern angeln. Das mache ich am

Meer (*sea*). Fluß (*river*). See (*lake*).

3e. Ich mag

Karate. Judo

Ich habe einen

roten	weißen	orangen	grünen
gelben	braunen	schwarzen	blauen

Gürtel.

3f. Ich mag Leichtathletik. Ich mache

400-Meter Lauf

Hürdenlauf

Staffellauf

Speerwurf

Diskuswurf

Stabhochsprung

Weitsprung

Hochsprung

4. Ich spiele

in einer Mannschaft. für die Schule. in einem Verein. für die Stadt.
nur aus Spaß (*just for fun*). nur in der Schule (*at school only*). ganz gut. nicht besonders gut.

5. Mein Lieblingssport ist . . ., weil es

schnell interessant ruhig (*peaceful*) schwer (*difficult*) aufregend (*exciting*) gefährlich (*dangerous*)	ist.
Spaß macht (*is fun*).	

FRAGEN 3

1. Bist du sportlich?
2. Wie oft treibst du Sport?
3. Welche Sportarten magst du?
4. Spielst du in einer Mannschaft? Spielst du gut?
5. Was ist dein Lieblingssport? Warum?

WIEDERHOLUNG 3

Treibst du viel Sport in deiner Freizeit?

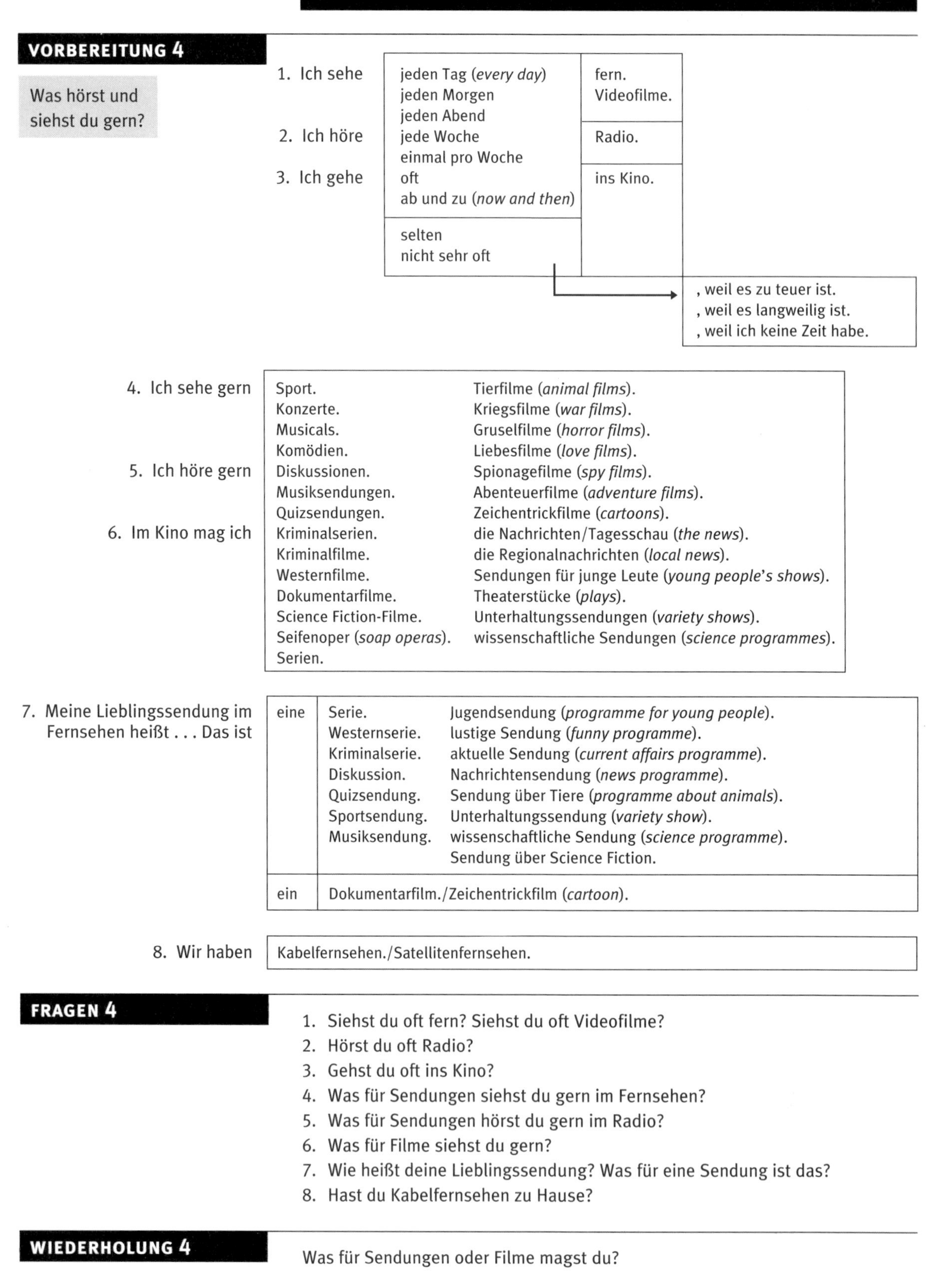

Fernsehen, Radio, Filme

VORBEREITUNG 4

Was hörst und siehst du gern?

1. Ich sehe	jeden Tag (*every day*) jeden Morgen jeden Abend jede Woche einmal pro Woche oft ab und zu (*now and then*)	fern. Videofilme.
2. Ich höre		Radio.
3. Ich gehe		ins Kino.
	selten nicht sehr oft	

→ , weil es zu teuer ist.
, weil es langweilig ist.
, weil ich keine Zeit habe.

4. Ich sehe gern 5. Ich höre gern 6. Im Kino mag ich	Sport. Konzerte. Musicals. Komödien. Diskussionen. Musiksendungen. Quizsendungen. Kriminalserien. Kriminalfilme. Westernfilme. Dokumentarfilme. Science Fiction-Filme. Seifenoper (*soap operas*). Serien.	Tierfilme (*animal films*). Kriegsfilme (*war films*). Gruselfilme (*horror films*). Liebesfilme (*love films*). Spionagefilme (*spy films*). Abenteuerfilme (*adventure films*). Zeichentrickfilme (*cartoons*). die Nachrichten/Tagesschau (*the news*). die Regionalnachrichten (*local news*). Sendungen für junge Leute (*young people's shows*). Theaterstücke (*plays*). Unterhaltungssendungen (*variety shows*). wissenschaftliche Sendungen (*science programmes*).

7. Meine Lieblingssendung im Fernsehen heißt . . . Das ist	eine	Serie. Westernserie. Kriminalserie. Diskussion. Quizsendung. Sportsendung. Musiksendung.	Jugendsendung (*programme for young people*). lustige Sendung (*funny programme*). aktuelle Sendung (*current affairs programme*). Nachrichtensendung (*news programme*). Sendung über Tiere (*programme about animals*). Unterhaltungssendung (*variety show*). wissenschaftliche Sendung (*science programme*). Sendung über Science Fiction.
	ein	Dokumentarfilm./Zeichentrickfilm (*cartoon*).	

8. Wir haben	Kabelfernsehen./Satellitenfernsehen.

FRAGEN 4

1. Siehst du oft fern? Siehst du oft Videofilme?
2. Hörst du oft Radio?
3. Gehst du oft ins Kino?
4. Was für Sendungen siehst du gern im Fernsehen?
5. Was für Sendungen hörst du gern im Radio?
6. Was für Filme siehst du gern?
7. Wie heißt deine Lieblingssendung? Was für eine Sendung ist das?
8. Hast du Kabelfernsehen zu Hause?

WIEDERHOLUNG 4

Was für Sendungen oder Filme magst du?

Musik

VORBEREITUNG 5

Was für Musik magst du?

1. Ich

höre spiele	gern	allerlei Musik. moderne Musik. klassische Musik.	Popmusik. Tanzmusik. Rockmusik.	Jazz. Reggae. Blues.	Discomusik. Folk. Blasmusik (*brass*).	Techno. Hard Rock. Indie.	Jungle. Rap.
höre nicht sehr gern Musik.							

2. Ich höre

Musik CDs Kassetten Popgruppen Rockgruppen Orchester Musiksendungen Shallplaten	zu Hause. in meinem Zimmer. im Wohnzimmer. bei Freunden. in der Disco. beim Konzert. im Jugendklub.

Ich habe

einen CD-Spieler (*CD-player*). eine Stereoanlage (*stereo system*). ein Radio. einen Kassettenrecorder. einen Radiorecorder. einen Walkman. einen CD-Walkman. einen Plattenspieler.

3. Mein Lieblingssänger heißt . . .
   Meine Lieblingssängerin heißt . . .

   Seine beste Platte heißt „. . ."
   Ihre beste Platte heißt „. . ."

4. Meine Lieblingsgruppe heißt . . .
   Ich habe keine Lieblingsgruppe, aber ich mag . . .

   Sie kommt aus

England	Frankreich	Australien	Schottland
Amerika	Deutschland	Schweden	Kanada

In dieser Gruppe gibt es

zwei drei mehrere	Mitglieder.

Es gibt

einen zwei	Klavierspieler. Keyboard-Spieler. Schlagzeuger. Saxophonisten.	Sänger. Gitarristen. Bassisten.

Ihre beste Platte heißt „. . ."

5. Ich spiele

Oboe Cello Viola Gitarre Trompete Saxophon Klarinette Flöte (*flute*) Keyboard Geige (*violin*)	Klavier (*piano*) Mundharmonika (*mouth organ*) Posaune (*trombone*) Akustik-Gitarre Bassgitarre Kontrabass (*double bass*) Schlagzeug (*drums, percussion*) Blockflöte (*recorder*) Akkordeon Blashorn (*French horn*)	in einem Orchester. im Schulorchester. in einer Jazzgruppe. in einer Band. in einer Popgruppe. in einer Rockgruppe. in einem Kammerorchester (*chamber orchestra*). in einer Blaskapelle (*brass band*). in einem Streichquartett (*string quartet*). zu Hause.
kein Instrument.		

FRAGEN 5

1. Was für Musik hast du am liebsten?
2. Wo hörst du Musik?
3. Hast du einen Lieblingssänger/ eine Lieblingsängerin?
4. Hast du eine Lieblingsgruppe?
5. Spielst du ein Instrument?

WIEDERHOLUNG 5

Erzähl mir bitte etwas über die Musik, die du gern hast!

Hobbys

VORBEREITUNG 6

Was machst du in deiner Freizeit?

1. Ich lese gern.

Ich lese			
	jede Woche (*every week*) jeden Monat (*every month*)	zwei drei viele mehrere	Bücher. Comics. Zeitungen. Zeitschriften (*magazines*).

Ich mag		
	Science Fiction. Biographien. Liebesgeschichten (*love stories*). Tiergeschichten (*animal stories*). Musikzeitschriften (*music magazines*). Computerzeitschriften (*computer magazines*). Autozeitschriften (*car magazines*).	historische Romane. Abenteuerromane (*adventure stories*). Modezeitschriften (*fashion magazines*). Popzeitschriften (*pop magazines*). die Tageszeitung (*daily paper*). die Regionalzeitung (*local paper*). die Sonntagszeitung. Reisebücher (*travel books*). Kriminalromane (*thrillers*).

Oder:	
	Science Fiction *usw* mag ich nicht.

Mein Lieblingsautor/Meine Lieblingsautorin (*favourite author*) Mein Lieblingsbuch (*favourite book*) Meine Lieblingszeitschrift (*favourite magazine*)	ist . . .

2. Ich mag Tiere gern.

Ich habe						
	einen Hund. Vogel. Kanarienvogel. Wellensittich Hamster. Goldfisch.	Er	ist weiß schwarz braun gelb rot grau	und groß. klein. lieb (*good*). niedlich (*sweet*). artig (*well-behaved*). unartig (*naughty*).	Er	heißt . . .
	eine Katze. Maus. Schildkröte	Sie			Sie	
	ein Pferd. Pony. Meerschweinchen Kaninchen	Es			Es	

3. Ich bastele gern.

Ich mache		
	Modellflugzeuge Modellautos Modellschiffe Segelflugzeuge (*gliders*) Möbel	aus Plastik. aus Holz. aus Metall. mit Motor. mit Fernsteuerung (*remote control*).

4. Ich arbeite gern im Garten.

Ich			
	baue	Blumen Gemüse	an.
	mähe den Rasen (*mow the lawn*). jäte den Garten (*weed the garden*).		

5. Ich

male zeichne fotografiere

gern.

Ich mache			
	Bilder Fotos	von der Familie. der Natur. der Landschaft (*countryside*).	meinen Freunden. Tieren.

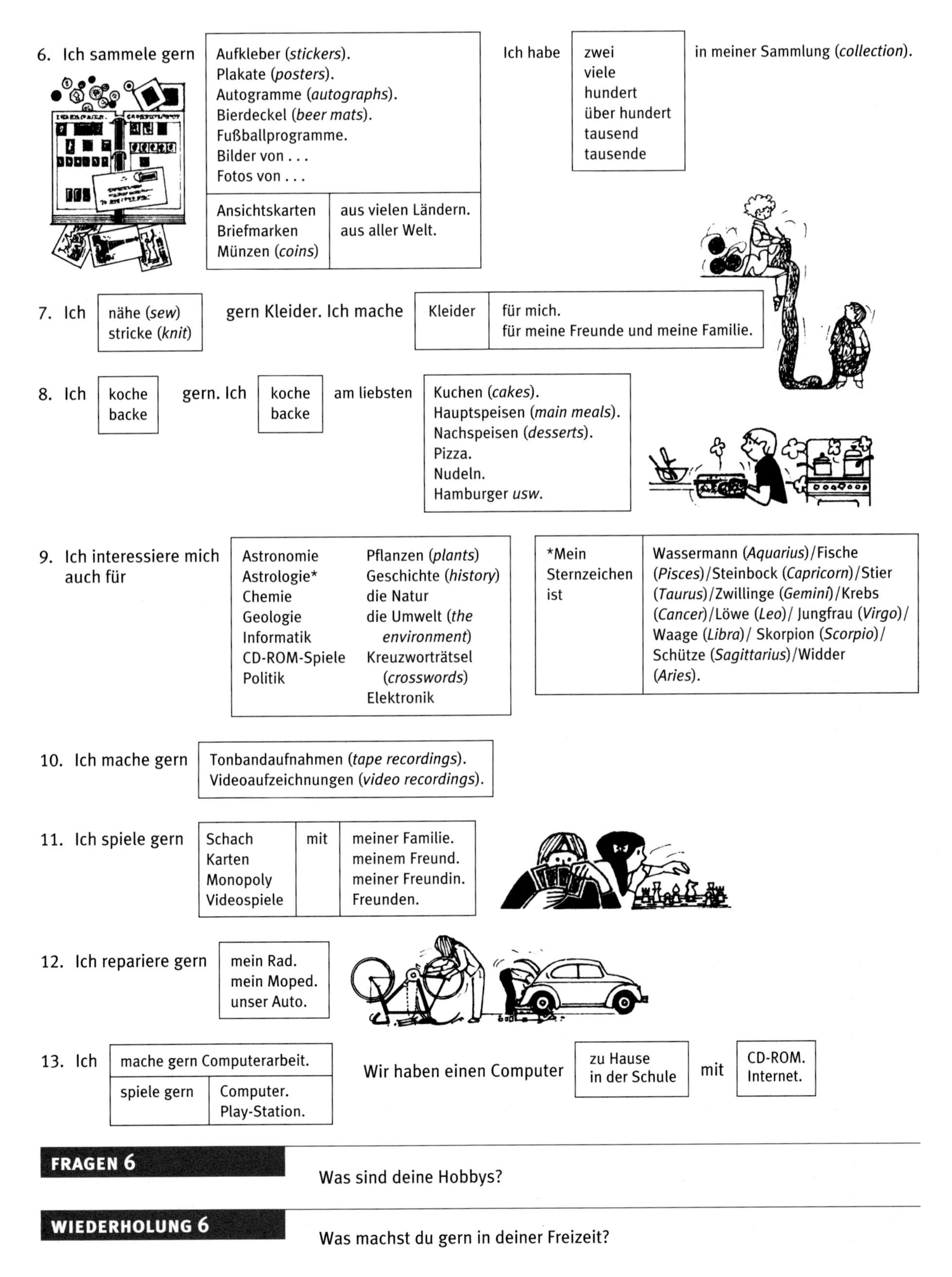

6. Ich sammele gern

Aufkleber (*stickers*). Plakate (*posters*). Autogramme (*autographs*). Bierdeckel (*beer mats*). Fußballprogramme. Bilder von . . . Fotos von . . .	
Ansichtskarten Briefmarken Münzen (*coins*)	aus vielen Ländern. aus aller Welt.

Ich habe

zwei viele hundert über hundert tausend tausende

in meiner Sammlung (*collection*).

7. Ich

nähe (*sew*) stricke (*knit*)

gern Kleider. Ich mache

Kleider	für mich. für meine Freunde und meine Familie.

8. Ich

koche backe

gern. Ich

koche backe

am liebsten

Kuchen (*cakes*). Hauptspeisen (*main meals*). Nachspeisen (*desserts*). Pizza. Nudeln. Hamburger *usw*.

9. Ich interessiere mich auch für

Astronomie Astrologie* Chemie Geologie Informatik CD-ROM-Spiele Politik	Pflanzen (*plants*) Geschichte (*history*) die Natur die Umwelt (*the environment*) Kreuzworträtsel (*crosswords*) Elektronik

*Mein Sternzeichen ist	Wassermann (*Aquarius*)/Fische (*Pisces*)/Steinbock (*Capricorn*)/Stier (*Taurus*)/Zwillinge (*Gemini*)/Krebs (*Cancer*)/Löwe (*Leo*)/ Jungfrau (*Virgo*)/ Waage (*Libra*)/ Skorpion (*Scorpio*)/ Schütze (*Sagittarius*)/Widder (*Aries*).

10. Ich mache gern

Tonbandaufnahmen (*tape recordings*). Videoaufzeichnungen (*video recordings*).

11. Ich spiele gern

Schach Karten Monopoly Videospiele	mit	meiner Familie. meinem Freund. meiner Freundin. Freunden.

12. Ich repariere gern

mein Rad. mein Moped. unser Auto.

13. Ich

mache gern Computerarbeit.	
spiele gern	Computer. Play-Station.

Wir haben einen Computer

zu Hause in der Schule

mit

CD-ROM. Internet.

FRAGEN 6

Was sind deine Hobbys?

WIEDERHOLUNG 6

Was machst du gern in deiner Freizeit?

Ich gehe aus

VORBEREITUNG 7

Was machst du am Abend und am Wochenende?

Ich gehe	am Abend am Wochenende am Montag am Dienstag am Mittwoch am Donnerstag am Freitag am Samstag am Sonntag	ins Café. in die Kneipe. zum Jugendklub. zu einem Freund. zu einer Freundin. in die Disco. zu Partys. zum Sportzentrum. zu Macdonalds. zum Klub. in die Stadt. zu den Geschäften.	Da tanze ich. höre ich Musik. plaudere ich (*I chat*). spiele ich gern Billard. / Tischtennis. / Karten. / Tischfußball. / Pfeilwerfen (*darts*). / Flipper (*pinball*). / Videospiele. treffe ich mich mit meinen Freunden (*meet my friends*). hänge ich mit meinen Freunden 'rum (*hang around with my friends*).
	am Samstagabend am Sonntagabend jeden Abend (*every evening*) jedes Wochenende (*every weekend*)	in die Stadt. aufs Land. in den Park.	Da mache ich einen Stadtbummel (*stroll round town*) / einen Spaziergang (*walk*) / einen Ausflug (*excursion*) / eine Radtour (*bike ride*) / eine Wanderung (*hike*) / ein Picknick — mit Freunden. / mit meinem Hund. / mit meiner Familie. / mit einem Freund. / mit einer Freundin. / allein.
	ab und zu (*now and then*) manchmal (*sometimes*) wochentags (*on weekdays*) zweimal in der Woche (*twice a week*) im Sommer im Winter		Da gehe ich einkaufen (*shopping*)
		zu einem	Fußballspiel./Rugbyspiel./Cricketspiel.
		zu den	Kadetten (*army cadets*). Pfadfindern (*scouts or guides*).
		zu einem	klassischen Konzert. Popkonzert.
		ins Theater. zu einem Freizeitpark (*theme park*). zur Bowlingbahn. zum Jahrmarkt (*fair*). ins Museum. zum Zoo. ins Kino. (Siehe S. 6) in die Eishalle (*to the ice rink*). zu Oma und Opa (*to my grandparents*). zum Musikunterricht (*to music lessons*).	
Ich arbeite.		Ich mache meine Hausaufgaben. Ich habe einen Job. (Siehe S. 11) Ich helfe meinen Eltern. (Siehe S. 16)	
Ich treibe		Sport. (Siehe S. 4)	
Ich mache		Musik. (Siehe S. 7)	
Ich bleibe		zu Hause und lese/sehe fern/höre Musik. (Siehe S. 6 und 7)	

FRAGEN 7

Wohin gehst du am Abend? Was machst du?
Wohin gehst du am Wochenende? Was machst du?

WIEDERHOLUNG 7

Gehst du gern am Wochenende oder am Abend weg?

Mein Geld

VORBEREITUNG 8

Mein Geld

1. Ich

Ich	bekomme (*get*) Taschengeld von meinen Eltern. habe einen Job.

Ich	bekomme verdiene (*earn*)	... Pfund pro Woche. ... Pfund pro Tag. ... Mark pro Stunde (*an hour*). Trinkgeld (*tips*).

2. Ich

Ich	arbeite abends samstags jedes Wochenende (*each weekend*) halbtags (*part-time*) nach der Schule (*after school*)	für meine Eltern. für Nachbarn (*neighbours*). im Garten. bei einer Tankstelle (*petrol station*). auf einem Bauernhof (*farm*). in einem Geschäft (*shop*). Supermarkt. Kaufhaus (*department store*). Restaurant. Hotel. Gasthaus. Altersheim (*old people's home*). Kindergarten (*day nursery*).
	verdiene Geld als Babysitter. trage Zeitungen aus. mache sauber.	

3.

Ich gebe mein Geld aus.	Ich kaufe Kleider/CDs/Kassetten/Schminksachen/Zeitschriften/Bonbons *usw.*
Ich spare mein Geld.	Ich spare für ein Rad/eine Gitarre/ein Auto/meinen Führerschein (*driving licence*)/die Ferien (*holidays*).

FRAGEN 8

1. Woher bekommst du dein Geld?
2. Hast du einen Job?
3. Gibst du dein Geld aus, oder sparst du es?

WIEDERHOLUNG 8

Was machst du mit deinem Taschengeld?

*Wo ich wohne

VORBEREITUNG 9

Wo wohnst du jetzt? Wo bist du geboren?

1. Ich wohne in . . .

1a. Das schreibt man . . . (Alphabet: siehe S. 81)

2. Das ist

die Hauptstadt (*capital*)			von England. Schottland. Wales. Irland. Nordirland. Amerika. Kanada. Neuseeland. Australien.
eine Großstadt (*major city*) eine Hafenstadt (*port*) ein Vorort (*suburb*) von . . .		im Norden im Süden im Osten im Westen in der Mitte an der Küste (*coast*)	
eine Stadt ein Dorf eine Insel	nicht weit von . . . . . . Kilometer von . . .		

3. Meine Adresse ist . . .

3a. Meine Telefonnummer ist . . . (Nummern: siehe S. 79)

3b. Meine Postleitzahl ist . . . (Nummern: siehe S. 79)

4. Das ist

in der Stadtmitte. am Stadtrand (*outskirts of town*). in einem Vorort (*suburb*).		im Dorf. auf dem Land.
nicht weit . . . Kilometer	von der	Stadtmitte. Schule.

5. Ich wohne seit . . . Jahren da.

6. Ich wohne

gern nicht gern	in . . ., in der Stadt, auf dem Land,	weil es	schön ruhig langweilig laut	ist.

7. Ich bin neunzehnhundert

. . . undachtzig . . . undneunzig	in . . . geboren.

8. Ich bin

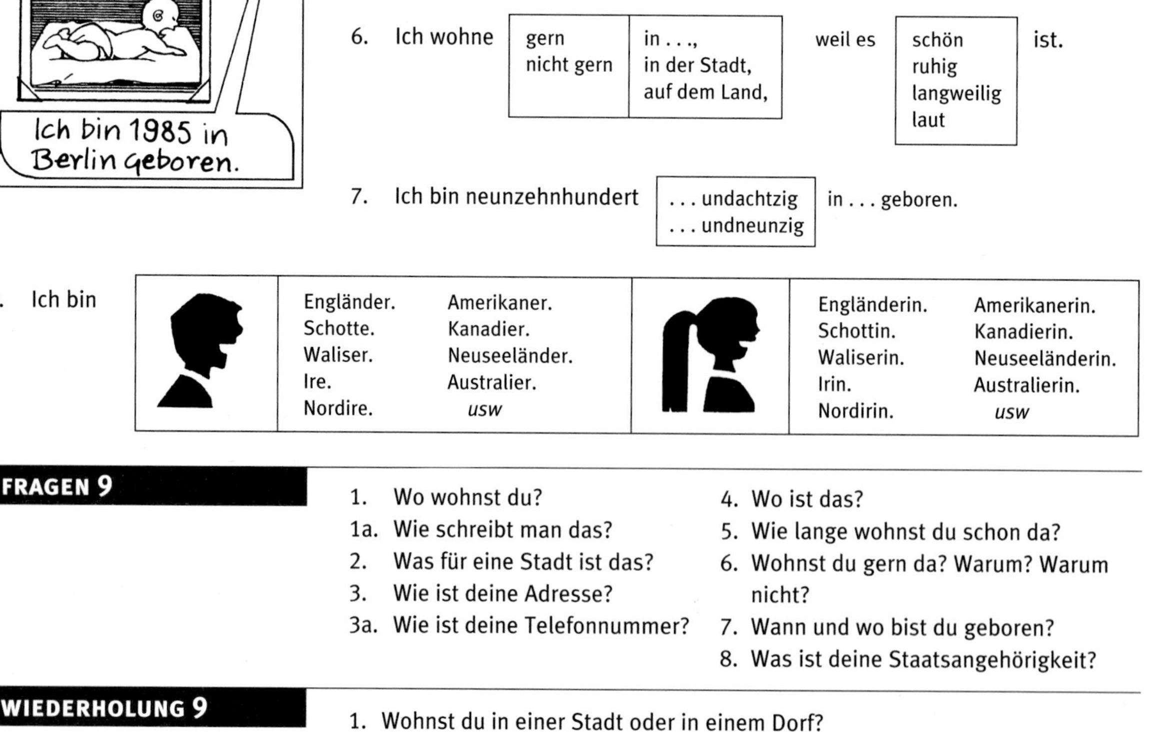

	Engländer. Schotte. Waliser. Ire. Nordire.	Amerikaner. Kanadier. Neuseeländer. Australier. *usw*		Engländerin. Schottin. Waliserin. Irin. Nordirin.	Amerikanerin. Kanadierin. Neuseeländerin. Australierin. *usw*

FRAGEN 9

1. Wo wohnst du?
1a. Wie schreibt man das?
2. Was für eine Stadt ist das?
3. Wie ist deine Adresse?
3a. Wie ist deine Telefonnummer?
4. Wo ist das?
5. Wie lange wohnst du schon da?
6. Wohnst du gern da? Warum? Warum nicht?
7. Wann und wo bist du geboren?
8. Was ist deine Staatsangehörigkeit?

WIEDERHOLUNG 9

1. Wohnst du in einer Stadt oder in einem Dorf?
2. Wohnst du schon immer da?

VORBEREITUNG 10

Beschreibe deine Stadt!

1\. . . . ist eine

große kleine moderne wichtige (*important*) hübsche (*picturesque*)	mittelgroße historische ruhige (*quiet*) schöne (*nice*) häßliche (*ugly*)	Stadt. Großstadt (*major city*). Hafenstadt (*port*). Industriestadt. Touristenstadt.

2\. Es gibt [viele / einige / keine] historische Sehenswürdigkeiten, zum Beispiel . . .

3\. Es gibt [viele / einige / keine] wichtige Gebäude. Es gibt

ein Krankenhaus (*hospital*). ein Gefängnis (*prison*). ein Rathaus (*town hall*). eine Polizeiwache. eine Kunsthalle (*art gallery*). eine Bibliothek (*library*).	eine Universität. einen Marktplatz. einen Hafen (*docks*). eine Post Fabriken (*factories*). eine alte Kirche	alte Häuser eine Burg ein Museum ein Denkmal einen Dom eine Stadtmauer

4\. Man kann hier [gut / ziemlich gut / nicht sehr gut] einkaufen.

Es gibt

eine Fußgängerzone (*pedestrian precinct*). ein Einkaufszentrum.	
viele einige	Geschäfte. Supermärkte.

5\. Wir haben auch

- ein Kaufhaus (*department store*)/mehrere Kaufhäuser.
- einen Buchladen/mehrere Buchläden.
- ein Schreibwarengeschäft/mehrere Schreibwarengeschäfte.
- eine Drogerie (*drugstore*)/mehrere Drogerien.
- eine Apotheke (*chemists*)/mehrere Apotheken.
- ein Elektrogeschäft/mehrere Elektrogeschäfte.
- ein Schuhgeschäft/mehrere Schuhgeschäfte.
- ein Kleidungsgeschäft/mehrere Kleidungsgeschäfte.
- einen Musikladen/mehrere Musikläden.
- eine Metzgerei (*butchers*)/mehrere Metzgereien.
- eine Bäckerei/mehrere Bäckereien.

6\. Man kann gut/ganz gut essen gehen.

Es gibt	ein Restaurant/mehrere Restaurants. ein Café/mehrere Cafés. eine Kneipe/mehrere Kneipen. ein China-Restaurant/mehrere China-Restaurants. ein Pizza-Restaurant/mehrere Pizza-Restaurants.

7\. Für sportliche Leute gibt es

ein Stadion. Tennisplätze. eine Sporthalle. einen Golfplatz. einen Sportplatz.	einen Fußballplatz. einen Campingplatz. ein Sportzentrum. eine Turnhalle (*gym*).	ein Hallenbad. ein Freibad. Sportvereine. einen Strand (*beach*).

8\. zur Unterhaltung kann man

ins Kino ins Theater ins Konzert	ins Café in den Park in den Zoo	in die Disco in die Eishalle in den Klub	zur Bowlingbahn zum Jahrmarkt zur Spielhalle	gehen.

FRAGEN 10

1. In was für einer Stadt wohnst du?
2. Gibt es historische Sehenswürdigkeiten?
3. Was für wichtige Gebäude gibt es?
4. Kann man dort gut einkaufen?
5. Welche Geschäfte gibt es?
6. Kann man gut essen gehen?
7. Was gibt es für sportliche Leute?
8. Was für Unterhaltungen gibt es in der Stadt?

WIEDERHOLUNG 10

1. Kannst du deine Stadt beschreiben?
2. Was gibt es in deiner Stadt zu tun?

VORBEREITUNG 11

Beschreibe dein Haus!

1.

Ich wohne		
	in einem Bungalow. auf einem Bauernhof.	→ Er
	in einer Wohnung (*flat*).	→ Sie
	in einem Haus. in einem Reihenhaus. in einem Einfamilienhaus. in einem Doppelhaus. in einem Häuschen.	→ Es

2.

Er	ist	ziemlich	groß.
Sie		sehr	klein. alt. modern. bequem (*comfortable*). schön.
Es			

3.

Wir haben Oben haben wir Unten haben wir	ein zwei drei	Schlafzimmer. Wohnzimmer. Badezimmer. Esszimmer. Arbeitszimmer. Kinderzimmer. Gästezimmer.
	eine	Küche. Waschküche. Toilette. Garage.
	einen	Dachboden (*attic*). Wintergarten (*conservatory*). Duschraum (*shower room*).

4.

Im Wohnzimmer In der Küche Im Esszimmer Im Badezimmer *usw*	haben wir	ein Sofa. einen Sessel (*easy chair*). einen Fernseher (*TV*). einen Tisch. einen Kaffeetisch. einen Kühlschrank (*fridge*). einen Herd (*cooker*). eine Couchgarnitur (*three-piece suite*). eine Badewanne (*bath*). eine Dusche. eine Waschmaschine. eine Spülmaschine (*dishwasher*).

5.

Wir haben			
	einen großen kleinen schönen	Garten	vor dem Haus. hinter dem Haus.
	keinen Garten.		

6.

Im Garten gibt es	
	einen Schuppen. Gemüse. Blumen. eine Schaukel. einen Rasen. einen Teich. Obstbäume. ein Gewöchshaus.

FRAGEN 11

1. Wohnst du in einem Haus oder in einer Wohnung?
2. Wie sieht dein Haus aus? Wie sieht deine Wohnung aus?
3. Was für Zimmer habt ihr?
4. Beschreibe die Zimmer!
5. Hast du einen Garten?
6. Was gibt es in deinem Garten?

WIEDERHOLUNG 11

1. Beschreibe dein Haus!
2. Beschreibe deinen Garten!

Mein Schlafzimmer

In meinem Schlafzimmer habe ich . . .

einen meinen	großen kleinen neuen alten schönen hübschen modernen	Spiegel. Teppich. Schrank. Nachttisch. Toilettentisch. Tisch. Stuhl. Kleiderschrank (*wardrobe*). Einbauschrank (*fitted wardrobe*). Schreibtisch (*desk*). Sessel (*armchair*). Wecker (*alarm*). Kassettenrecorder. CD-Spieler. Computer. Plattenspieler. Teddybär.
eine meine	große kleine neue alte schöne hübsche moderne	Lampe. Kommode. Puppe. Pflanze (*plant*). Uhr (*clock*). Sammlung von . . . (*collection*). Steppdecke (*quilt*). Stereoanlage (*stereo system*).
ein mein	großes kleines neues altes schönes hübsches modernes	Bett. Bücherregal. Bild von . . . Radio. Foto von . . . Poster von . . . Fernsehgerät (*television*).
einige meine viele	Kassetten. Schallplatten. Bücher. Kleider (*clothes*). Modelle. Schminksachen (*cosmetics*). Schmucksachen (*jewellery*). Zeitschriften (*magazines*).	

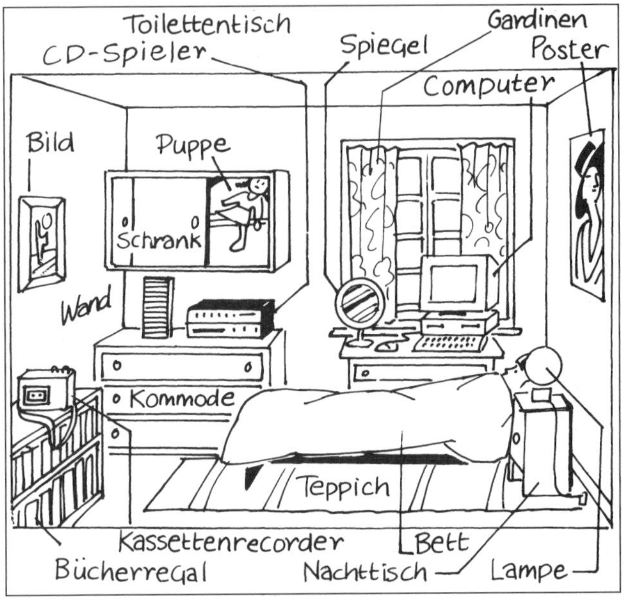

VORBEREITUNG 12

Wie ist dein Schlafzimmer?

1. Es ist

sehr ziemlich (*fairly*) ganz (*quite*)	groß. klein. schön. modern. bequem.

2. Die Wände sind
3. Die Gardinen sind

schwarz. blau. rosa (*pink*). grün. braun. grau.	gelb (*yellow*). weiß. rot. orange. lila. bunt (*lots of colours*).

4. Ich

habe ein eigenes Schlafzimmer (*have my own room*).	
teile mein Schlafzimmer mit (*share*)	meinem Bruder. meiner Schwester.

5. In meinem Schlafzimmer habe ich . . .

FRAGEN 12

1. Wie sieht dein Schlafzimmer aus?
2. Welche Farbe haben die Wände?
3. Welche Farbe haben die Gardinen?
4. Hast du ein eigenes Schlafzimmer?
5. Was hast du in deinem Schlafzimmer?

WIEDERHOLUNG 12

Beschreibe bitte dein Schlafzimmer.

Die Hausarbeit

VORBEREITUNG 13

Hilfst du zu Hause?

1.

Ich mache mein Bett.

Ich wasche die Kleider.

Ich koche.

Ich wasche ab.

Ich trockne ab.

Ich gehe einkaufen.

Ich arbeite im Garten.

Ich mähe den Rasen.

Ich repariere Sachen.

Ich mache das Frühstück/ Mittagessen/ Abendbrot.

Ich sauge Staub.

Ich decke den Tisch.

Ich bügele.

Ich räume auf.

Ich schäle die Kartoffeln.

Ich wasche das Auto.

Ich leere die Papierkörbe.

Ich nähe meine Kleider.

Ich füttere den Hund.

Ich begieße die Blumen.

2. ... jeden Tag (*every day*).
   ... oft.
   ... manchmal (*sometimes*).
   ... einmal in der Woche (*once a week*).

3.

Das	hasse ich.
	mache ich gern.
	mache ich nicht gern.

FRAGEN 13

1. Was für Hausarbeit machst du?
2. Wie oft machst du das?
3. Machst du das gern?

*Das Datum und das Wetter

VORBEREITUNG 14

1\. Heute ist

Montag.
Dienstag.
Mittwoch.
Donnerstag.
Freitag.
Samstag/
Sonnabend.
Sonntag.

2\.

Heute ist	Heiligabend (*Christmas Eve*).
	Weihnachten (*Christmas*).
	Karfreitag (*Good Friday*).
	Ostersonntag (*Easter Sunday*).
	Ostermontag.
	Silvester (*New Year's Eve*).
	Faschingsdienstag (*Carnival Day*).

2a. Heute ist der	erste	siebte	dreizehnte	Januar	
	zweite	achte	*usw*	Februar	
	dritte	neunte	zwanzigste	März	
	vierte	zehnte	einundzwanzigste	April	
	fünfte	elfte	*usw*	Mai	
	sechste	zwölfte	dreißigste	Juni	
				Juli	
3. Ich habe am	ersten	siebten	dreizehnten	August	Geburtstag.
	zweiten	achten	*usw*	September	
	dritten	neunten	zwanzigsten	Oktober	
	vierten	zehnten	einundzwanzigsten	November	
	fünften	elften	*usw*	Dezember	
	sechsten	zwölften	dreißigsten		

Nicht vergessen!
sechzehnte,
sechsundzwanzigste,
siebzehnte,
siebenundzwanzigste

Wie ist das Wetter?

4\. (a) Es regnet/Es ist nass.
(b) Es schneit.
(c) Es ist kalt.
(d) Es ist warm/heiß.
(e) Es ist windig.
(f) Es ist nebelig.
(g) Es ist schön.
(h) Das Wetter ist schlecht.
(i) Es ist sonnig.
. . . im Frühjahr/im Sommer/im Winter/im Herbst.

Wie war das Wetter?

5\. (a) Es hat geregnet.
(b) Es hat geschneit.
(c) Es war kalt.
(d) Es war warm.
(e) Es war windig.
(f) Es war nebelig.
(g) Es war schön.
(h) Das Wetter war schlecht.
(i) Es war sonnig.

FRAGEN 14

1\. Was ist heute?
2\. Der wievielte ist heute?
3\. Wann hast du Geburtstag?
4a. Wie ist das Wetter heute?
4b. Wie ist das Wetter im Sommer *usw*?
5\. Wie war das Wetter gestern?/Wie war das Wetter am letzten Samstag?

VORBEREITUNG 15

Was machst du in den Ferien?

1.			
Ich Wir	fahre (*go*) fahren	gern am liebsten normalerweise jedes Jahr	ans Meer. aufs Land. in die Berge (*mountains*). ins Ausland (*abroad*). auf Urlaub (*on holiday*). nach . . .
Ich Wir	bleibe (*stay*) bleiben		zu Hause. in . . .

2. Wenn ich am Strand bin,

3. Wenn ich auf dem Land bin,

Was machst du noch?

4. Ich

mache	Fotos. Ausflüge (*outings*).	
besichtige	die Sehenswürdigkeiten (sights). alte Gebäude.	
gehe	einkaufen. zur Spielhalle.	
kaufe	Andenken (*souvenirs*). Ansichtskarten (*postcards*).	
lerne	Leute das Land	kennen.
habe viel Spaß (*have a good time*)!		

Und nächstes Jahr?

5. Ich / Wir

fahre fahren	nächstes Jahr nach . . . Das ist	eine Stadt ein Dorf eine Insel eine Gegend (*area*)	im Norden im Süden im Osten im Westen in der Mitte an der Küste	von Deutschland. Frankreich. Großbritannien. Amerika. Kanada. Australien (*usw*).

Ich

bleibe zu Hause. weiß noch nicht, wohin ich fahre, aber vielleicht nach . . .

6. Ich bleibe / Wir bleiben

ein Wochenende eine Woche einige Tage (*a few days*) zehn Tage zwei Wochen einen Monat	in einem Hotel. in einem Campingwagen. in einem Wohnwagen (*caravan*). auf einem Campingplatz. in einem Zelt (*tent*). in einem Apartment. in einem Ferienhaus (*holiday villa*). in einer Ferienwohnung. in einem Feriendorf (*holiday camp*). in einer Jugendherberge (*youth hostel*). bei Freunden. bei Verwandten (*relations*). bei meinem Brieffreund. bei meiner Brieffreundin. auf einem Bauernhof (*farm*).

7. Ich fahre

mit einer Schulgruppe. mit einem Schüleraustausch (*exchange*). mit meiner Familie. mit Freunden.	mit Freundinnen. mit einem Freund. mit einer Freundin. allein.

FRAGEN 15

1. Wohin fährst du am liebsten im Urlaub?
2. Was machst du am Strand?
3. Was machst du auf dem Land?
4. Was machst du sonst, wenn du im Urlaub bist?
5. Wohin fährst du in den nächsten Sommerferien?
6. Wo und wie lange bleibst du da?
7. Fährst du allein dorthin?

WIEDERHOLUNG 15

1. Was machst du gern im Urlaub?
2. Was machst du in den nächsten Sommerferien?

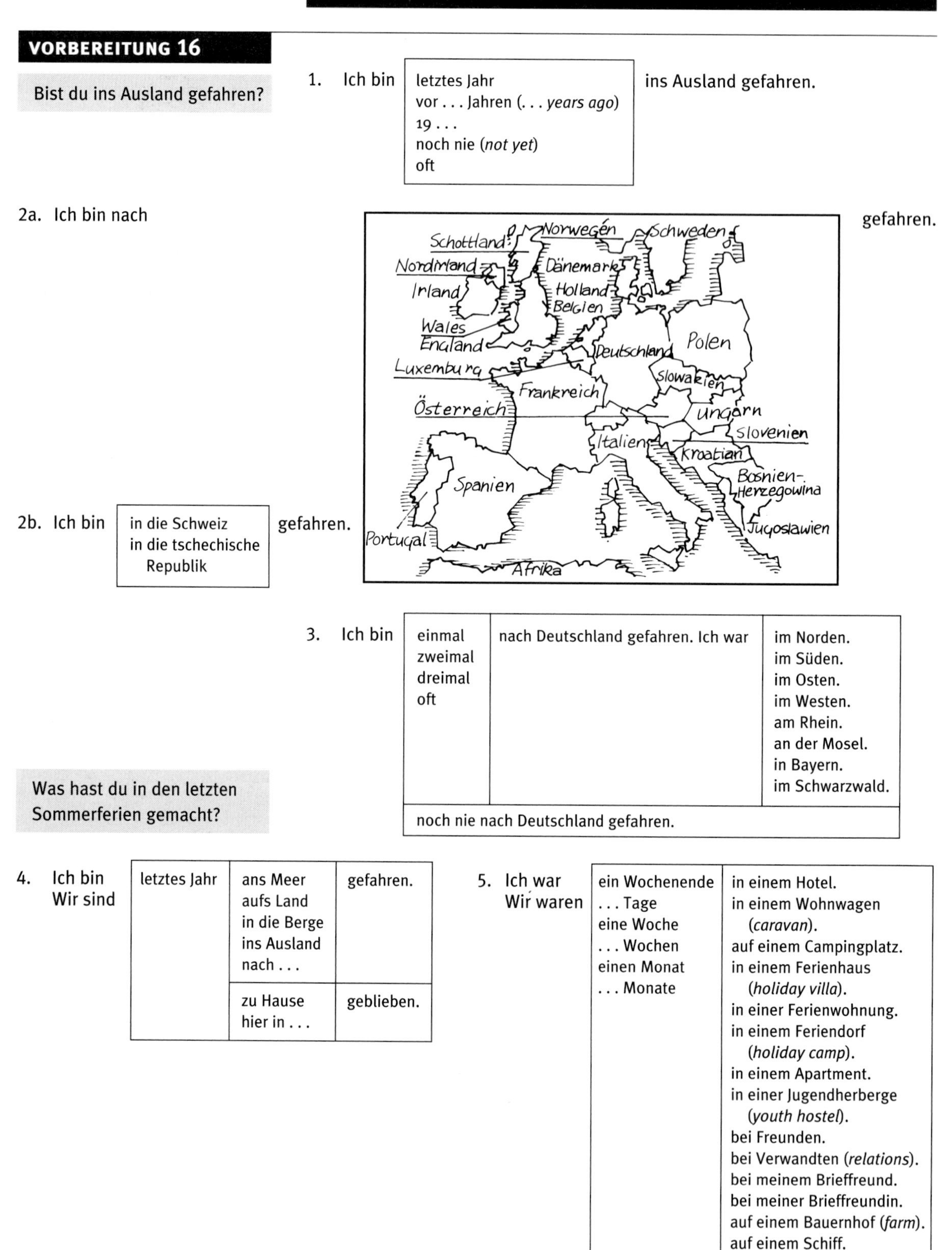

*Die Ferien (2)

VORBEREITUNG 16

Bist du ins Ausland gefahren?

1. Ich bin

letztes Jahr vor . . . Jahren (. . . *years ago*) 19 . . . noch nie (*not yet*) oft

ins Ausland gefahren.

2a. Ich bin nach … gefahren.

2b. Ich bin

in die Schweiz in die tschechische Republik

gefahren.

3. Ich bin

einmal zweimal dreimal oft	nach Deutschland gefahren. Ich war	im Norden. im Süden. im Osten. im Westen. am Rhein. an der Mosel. in Bayern. im Schwarzwald.
noch nie nach Deutschland gefahren.		

Was hast du in den letzten Sommerferien gemacht?

4. Ich bin / Wir sind

letztes Jahr	ans Meer aufs Land in die Berge ins Ausland nach . . .	gefahren.
	zu Hause hier in . . .	geblieben.

5. Ich war / Wir waren

ein Wochenende . . . Tage eine Woche . . . Wochen einen Monat . . . Monate	in einem Hotel. in einem Wohnwagen (*caravan*). auf einem Campingplatz. in einem Ferienhaus (*holiday villa*). in einer Ferienwohnung. in einem Feriendorf (*holiday camp*). in einem Apartment. in einer Jugendherberge (*youth hostel*). bei Freunden. bei Verwandten (*relations*). bei meinem Brieffreund. bei meiner Brieffreundin. auf einem Bauernhof (*farm*). auf einem Schiff.

6\. Ich bin

mit dem Bus	mit dem Zug	mit dem Auto
mit der Fähre	mit dem Flugzeug	mit dem Rad
mit dem Motorrad	mit dem Luftkissenboot	per Anhalter

gefahren.

7\. Ich habe
Wir haben

Fotos Picknicks eine Radtour Wanderungen (*hikes*) einen Ausflug (*outing*) nach . . . eine Stadtrundfahrt (*tour of the town*)	gemacht.
Berlin den Kölner Dom (*Cologne cathedral*) die Sehenswürdigkeiten (*sights*)	besichtigt (*visited*). gesehen.
Andenken (*souvenirs*) Ansichtskarten (*postcards*) Geschenke (*presents*)	gekauft.
in der Sonne gelegen. Freunde kennengelernt. Verwandte (*relations*) besucht. Freunde getroffen. viel Spaß gehabt!	

Wie waren die Ferien?

8\.

Deutschland Berlin Das Essen Der Sonnenschein Der Strand (*beach*) Die Gastfreundschaft (*hospitality*) Die Landschaft (*countryside*)	hat	mir gut gefallen. mir nicht so gut gefallen.
Die Berge Die Leute (*people*) Die Sehenswürdigkeiten (*sights*) Die Unterhaltungen (*amusements*) Die Geschäfte (*shops*)	haben	

FRAGEN 16

1. Warst du schon im Ausland?
2. Wohin bist du gefahren?
3. Warst du schon in Deutschland?
4. Wohin bist du letztes Jahr in den Sommerferien gefahren?
5. Wo und wie lange bist du geblieben?
6. Wie bist du gefahren?
7. Was hast du da gemacht?
8. Was hat dir besonders gut gefallen?

WIEDERHOLUNG 16

1. Erzähl mir, was du im Ausland gemacht hast!
2. Erzähl mir, was du letztes Jahr in den Sommerferien gemacht hast!

In der Schule

VORBEREITUNG 17

Was für eine Schule besuchst du?

Schulhof

Bibliothek Turnhalle

Klassenzimmer Labor

Speisesaal Aula

Sprachlabor Gebäude

1. Meine Schule heißt die . . . Schule.

1a.

Sie ist	eine Gesamtschule (*comprehensive*). eine Privatschule. eine Realschule (*secondary school*)./ein Gymnasium (*grammar school*).

2. Sie liegt

in der Stadtmitte auf dem Lande in einem Vorort (*suburb*)	nicht weit . . . Kilometer in der Nähe (*near*) zehn Minuten

von meinem Haus.

3. Ich komme

mit dem Bus mit dem Zug	mit dem Auto mit dem Rad	mit dem Moped zu Fuß

zur Schule.

4. Ich esse zu Mittag

in der Schule. zu Hause. Butterbrote (*sandwiches*).

5. Wir haben

einen Schulhof. einen Sportplatz. einen Tennisplatz. einen Speisesaal. eine Bibliothek. eine Turnhalle. eine Aula. einen Informatikraum.	ein Schwimmbad. ein Sprachlabor. mehrere Gebäude. viele Klassenzimmer. mehrere Spielplätze. mehrere Labors. mehrere Tennisplätze.

6. Wir haben

ungefähr (*about*) über	hundert zweihundert tausend	Schüler (*boys*). Schülerinnen (*girls*). Schüler und Schülerinnen.

Was findest du gut? Was magst du nicht?

7. Die Schule

gefällt mir. gefällt mir nicht.

(a) Sie ist

sehr ziemlich (*fairly*) zu	groß. alt. klein. modern. freundlich/streng/langweilig.

(b) Die Lehrer sind

sehr ziemlich zu meistens	alt. jung. streng (*strict*). sympathisch (*nice*). locker (*relaxed*).

(c) Wir haben

viele zu viele nicht viele keine

Hausaufgaben auf. (*homework*)

(d)

Die Disziplin Das Essen (*food*) Die Schuluniform Der Sport Der Unterricht (*the lessons*)	gefällt mir	gut. nicht.
Die Prüfungen (*exams*) Die Klubs Meine Klassenkameraden Die Lehrer	gefallen mir	

FRAGEN 17

1. Wie heißt deine Schule?
1a. Was für eine Schule ist das?
2. Wo liegt deine Schule?
3. Wie kommst du zur Schule?
4. Wo ißt du zu Mittag?
5. Was gibt es alles in deiner Schule?
6. Wieviele Schüler gibt es?
7. Gefällt dir deine Schule, oder gefällt sie dir nicht? Warum?

WIEDERHOLUNG 17

Erzähl mir bitte etwas über deine Schule.

VORBEREITUNG 18

Was lernst du?

Englisch
Deutsch
Französisch
Spanisch
Latein
Naturwissenschaft (*science*)
Physik
Chemie
Biologie
Sport
Turnen (*gymnastics*)
Leichtathletik (*athletics*)
Werken (*wood and metal work*)
Arbeitslehre (*CDT*)
Technologie
technisches Zeichnen (*TD*)
Informatik (*computer studies*)
Nähen (*sewing*)
Kochen
Maschinenschreiben (*typing*)
Stenographie (*shorthand*)
Mathematik
Volkswirtschaft (*economics*)
Geschichte (*history*)
Erdkunde (*geography*)
Musik
Gemeinschaftskunde (*social studies*)
Religion
Philosophie
darstellendes Spiel (DSP) (*drama*)
Kunst (*art*)
Literatur
Soziologie
Psychologie
Politik
Jura (*law*)
Medienwissenschaft

1. Ich lerne . . .
2. Mein bestes Fach (*subject*) ist . . .
3. Mein Lieblingsfach (*favourite subject*) ist . . .
4. Dieses Fach ist

interessant wichtig (*important*) lustig (*fun*) einfach (*easy*) nützlich (*useful*) schwer langweilig doof (*stupid*)	und	der Lehrer die Lehrerin die praktische Arbeit experimentieren zeichnen (*drawing*) spielen (*acting, playing*) schreiben lesen	gefällt mir. gefällt mir nicht.

5. Ich lerne Deutsch seit . . . Jahren.
6. Ich bin in der

sechsten Klasse	(*11–12 Jahre*).
siebten Klasse	(*12–13 Jahre*).
achten Klasse	(*13–14 Jahre*).
neunten Klasse	(*14–15 Jahre*).
zehnten Klasse	(*15–16 Jahre*).
Sekundarstufe 2	(*16–18 Jahre*).

7. In der Sekundarstufe 2 möchte ich . . . lernen.

FRAGEN 18

1. Was lernst du in der Schule?
2. Was ist dein bestes Fach?
3. Was ist dein Lieblingsfach?/Welches Fach magst du nicht?
4. Warum?/Warum nicht?
5. Seit wann lernst du Deutsch?
6. In welcher Klasse bist du?
7. Was möchtest du in der Oberstufe lernen?

WIEDERHOLUNG 18

Erzähl mir bitte etwas über die Fächer, die du in der Schule hast!

Meine Berufspläne

VORBEREITUNG 19

Was willst du werden?

1.

Ich möchte (*I'd like to*) Ich werde (*I shall*) Nächstes Jahr werde ich	mit	sechzehn siebzehn achtzehn	Jahren die Schule verlassen.
	meine Prüfungen machen (*take my exams*). in der Sekundarstufe 2 bleiben (*stay on at school after age 16*). in die Oberschule gehen (*go to a 16–18 college*). Abitur machen (*take exams at age 18*).		
	zur	Hochschule (*college*) technischen Hochschule pädagogischen Hochschule (*College of Education*) Universität	gehen.

1a. Ich will . . . studieren.

(Fächer: siehe S. 23)

2.

Ich möchte dann Ich werde dann	eine Stelle suchen. reisen. arbeiten. heiraten (*marry*). Kinder haben.

3.

Ich möchte	. . . * werden. . . . †arbeiten.	Man kann	viel Geld verdienen. reisen. Leute kennenlernen. berühmt (*famous*) werden.
		Diese Arbeit	macht Spaß. ist interessant. ist nicht zu schwer. ist nützlich (*useful*).
Ich weiß noch nicht, was ich später machen werde.			

*Liste A, S. 25
†Liste B, S. 25

Und deine Familie?

4.

Mein Vater Meine Mutter Mein Bruder Meine Schwester	ist *. . . arbeitet† . . . ist arbeitslos. geht zur Schule ist noch ein Baby.

* Liste A, S. 25
† Liste B, S. 25

(Familie: siehe S. 3)

FRAGEN 19

Leave out questions which do not apply to your family.

1. Wann wirst du die Schule verlassen?
1a. Willst du studieren?
2. Was möchtest du dann machen?
3. Was für einen Beruf möchtest du ausüben? Warum?
4a. Was für einen Beruf hat dein Vater?
4b. Arbeitet deine Mutter?
4c. Was ist dein Bruder von Beruf?
4d. Geht deine Schwester noch zur Schule?

WIEDERHOLUNG 19

1. Was willst du machen, wenn du nicht mehr zur Schule gehst?
2. Was für Berufe haben die anderen in deiner Familie?

LISTE A For girls and women: use the word after the /

accountant Buchhalter/Buchhalterin
actor Schauspieler
actress Schauspielerin
air hostess Stewardess
apprentice Auszubildender/Auszubildende
architect Architekt/Architektin
artist Künstler/Künstlerin
author Schriftsteller
authoress Schriftstellerin
bank clerk Bankbeamter/Bankbeamtin
bank manager Sparkassenleiter/Sparkassenleiterin
boss Chef/Chefin
builder Maurer
bus driver Busfahrer/Busfahrerin
business man Geschäftsmann
business woman Geschäftsfrau
carpenter Zimmermann
cashier Kassierer/Kassiererin
chemist Drogist/Drogistin
civil servant Beamter/Beamtin
cleaning lady Reinmachefrau
computer programmer Programmierer/Programmiererin
cook Koch/Köchin
dancer Tänzer/Tänzerin
data processor Datenverarbeiter/Datenverarbeiterin
dentist Zahnarzt/Zahnärztin
designer Raumgestalter/Raumgestalterin
detective Detektiv/Detektivin
director Direktor/Direktorin
docker Hafenarbeiter
doctor Arzt/Ärztin
electrician Elektriker/Elektrikerin
engineer Ingenieur/Ingenieurin
farmer Landwirt/Landwirtin
farm worker Landwirtschaftsarbeiter/Landwirtschaftsarbeiterin
fireman Feuerwehrmann
fisherman Fischer
footballer Fußballspieler
forestry worker Förster
game keeper Wildhüter
garage worker Tankwart/Tankwärtin
hairdresser Friseur/Friseuse
headmaster Schuldirektor
headmistress Schuldirektorin
hotelier Hotelier/Hotelierin
housewife Hausfrau
inspector Inspektor/Inspektorin
journalist Journalist/Journalistin
librarian Bibliothekar/Bibliothekarin
lorry driver LKW-Fahrer/LKW-Fahrerin
manager Manager
manageress Managerin
mechanic Mechaniker/Mechanikerin
milkman Milchmann
model Mannequin
musician Musiker/Musikerin
nurse Krankenschwester/Krankenpfleger
office worker Büroangestellter/Büroangestellte
painter/decorator Maler/Malerin
pilot Pilot/Pilotin
pensioner Rentner/Rentnerin
photographer Photograph/Photographin
plumber Klempner/Klempnerin
policeman/woman Polizist/Polizistin
politician Politiker/Politikerin
postman/woman Briefträger/Briefträgerin
publican Gastwirt/Gastwirtin
racing driver Rennfahrer/Rennfahrerin
railway worker Bahnbeamter/Bahnbeamtin
receptionist Empfangsdame
rep Vertreter/Vertreterin
reporter Reporter/Reporterin
sailor Matrose
secretary Sekretär/Sekretärin
shop worker Verkäufer/Verkäuferin
shorthand-typist Stenotypistin
singer Sänger/Sängerin
social worker Sozialarbeiter/Sozialarbeiterin
soldier Soldat
solicitor Rechtsanwalt/Rechtsanwältin
student Student/Studentin
taxi driver Taxifahrer/Taxifahrerin
teacher Lehrer/Lehrerin
teacher (infants) Kindergärtnerin
technician Techniker/Technikerin
telephonist Telefonist/Telefonistin
unemployed arbeitslos
vet Tierarzt/Tierärztin
waiter/waitress Kellner/Kellnerin

LISTE B

in einem Krankenhaus
in einem Laden (*shop*)
in einem Kaufhaus (*large store*)
in einem Altersheim (*Old People's Home*)
in einem Büro
in einem Hotel
in einem Café
in einem Restaurant
in einem Flughafen (*airport*)
in einer Bank
in einer Autowerkstatt (*garage*)
in einer Kantine
in einer Kneipe
in einer Werkstatt (*workshop*)
in einer Fabrik (*factory*)

an einer Schule
an einer Hochschule (*college*)
an einer Universität

bei der Post
bei der Bundesbahn (*railways*)
bei einer Firma
beim Gericht (*law courts*)

auf einem Bauernhof (*farm*)
auf einem Schiff
an einer Tankstelle
auf dem Land
in der Stadt

im Ausland (*abroad*)
im Freien (*open air*)
im Rathaus (*town hall*)

in London
in Amerika
nicht weit von hier

mit Leuten (*people*)
mit alten Leuten
mit Behinderten (*handicapped*)
mit Kindern
mit Tieren (*animals*)
mit Pferden (*horses*)

für die Armee
für die Regierung (*government*)
für eine Zeitung
für eine Zeitschrift (*magazine*)

mit Computern
allein

*Mein Schultag

VORBEREITUNG 20

Was machst du an einem normalen Schultag?

1. Ich wache	schnell langsam sofort (*at once*) pünktlich normalerweise früh zu spät zehn Minuten später eine halbe Stunde später eine Stunde später spät am Abend kurz danach (*soon afterwards*) so schnell wie möglich	auf.
2. Ich stehe		auf.
3. Ich wasche mich		–
4. Ich frühstücke		–
5. Ich putze mir die Zähne		–
6. Ich verlasse	8.00 um acht Uhr 8.05 um fünf nach acht 8.10 um zehn nach acht 8.15 um viertel nach acht 8.20 um zwanzig nach acht 8.25 um fünf vor halb neun 8.30 um halb neun 8.35 um fünf nach halb neun 8.40 um zwanzig vor neun 8.50 um zehn vor neun	das Haus.
7. Ich fahre/gehe		in die Schule.
8. Ich komme		in der Schule an.
9. Die erste Stunde beginnt		–
10. Die erste Pause ist		–
11. Die Mittagspause ist		–
12. Die Schule ist		aus.
13. Ich komme		nach Hause.
14. Ich mache meine Hausaufgaben		–
15. Ich gehe		ins Bett.

FRAGEN 20

1. Wann wachst du auf?
2. Wann stehst du auf?
3. Wann wäschst du dich?
4. Wann frühstückst du?
5. Wann putzt du dir die Zähne?
6. Um wie viel Uhr verlässt du das Haus?
7. Wann fährst/gehst du in die Schule?
8. Wann kommst du in der Schule an?
9. Wann beginnt die erste Stunde?
10. Wann ist die erste Pause?
11. Wann ist die Mittagspause?
12. Um wie viel Uhr ist die Schule aus?
13. Wann kommst du nach Hause?
14. Wann machst du deine Hausaufgaben?
15. Um wie viel Uhr gehst du normalerweise ins Bett?

WIEDERHOLUNG 20

Beschreibe mir bitte deinen typischen Schultag!

VORBEREITUNG 21

Was hast du gestern gemacht?

1 2 3 4

5 6 7 8

1. Ich bin	um	... Uhr	aufgewacht.
2. Ich bin		... nach ...	aufgestanden.
3. Ich habe		... vor ...	gefrühstückt.
4. Ich habe		halb ...	das Haus verlassen.
5. Ich bin			in der Schule angekommen.
6. Ich bin			nach Hause gekommen.
7. Ich habe			meine Hausaufgaben gemacht.
8. Ich bin			ins Bett gegangen.

Was hast du am Abend gemacht?

9.

Am Abend habe ich	einen Film meinen Freund	gesehen.
	ferngesehen.	
	Radio Kassetten	gehört.
	Klavier Tischtennis Computer	gespielt.
	einen Spaziergang meine Hausaufgaben	gemacht.
	ein Buch eine Zeitschrift	gelesen.
	in einem Geschäft zu Hause	gearbeitet.
	einen Brief an meine Brieffreundin	geschrieben.
	in der Disco im Jugendklub	getanzt.
	mich mit meinen Freunden getroffen.	

Am Abend bin ich	in die Stadt zu Freunden	gegangen.
	zu Hause in meinem Zimmer	geblieben.

9a.

Es war	toll. geil. cool. super. langweilig. schrecklich.
Es hat Spaß gemacht.	

FRAGEN 21

1. Wann bist du gestern aufgewacht?
2. Bist du sofort aufgestanden?
3. Hast du gefrühstückt?
4. Wann hast du das Haus verlassen?
5. Wann bist du in der Schule angekommen?
6. Wann bist du nach Hause gekommen?
7. Hast du deine Hausaufgaben gemacht?
8. Um wie viel Uhr bist du ins Bett gegangen?
9. Was hast du am Abend gemacht?

WIEDERHOLUNG 21

Was hast du gestern gemacht?

Wann fährt der Zug ab?

SZENE 1

Alan und Kate wollen nach Bremen fahren. Sie sind bei der deutschen Tourist-Info in London.

ANGESTELLTER Guten Tag! Was kann ich für Sie tun?

ALAN Guten Tag! Wir fahren nächsten Monat nach Bremen. Wie kommen wir am besten dahin?

ANGESTELLTER Sie fahren am besten mit der Fähre nach Hamburg, und dann mit dem Zug nach Bremen.

ALAN Wann fährt die Fähre?

ANGESTELLTER Um drei Uhr nachmittags.
Sie kommt am nächsten Morgen um elf Uhr in Hamburg an.

ALAN Das ist ja eine lange Reise! Wir möchten zwei Pullmanliegen reservieren.

SZENE 2

Alan und Kate sind jetzt in Hamburg.

KATE Wann fährt der nächste Zug nach Bremen?

BEAMTER Moment, bitte. Ach, da haben Sie aber Pech. Ein Schnellzug ist gerade abgefahren. Aber es gibt einen Intercity um 14.20 Uhr.

KATE Von welchem Gleis?

BEAMTER Von Gleis 14.

KATE Und wann kommt er in Bremen an?

BEAMTER Um 15.26 Uhr.

KATE Muss ich umsteigen?

BEAMTER Nein, der Zug fährt direkt durch.

KATE Danke schön.

ÜBUNG 1

Ich fahre Wir fahren	nächsten Monat am nächsten Montag am Mittwoch vormittag heute nachmittag am 20. Juli	nach Hamburg.	Ich möchte Wir möchten	einen Platz zwei Plätze eine Pullmanliege zwei Pullmanliegen eine Kabine	reservieren.

Was fragen diese Personen?

ÜBUNG 2

Wann	fährt der nächste Zug der nächste Bus die nächste Fähre fliegt die nächste Maschine	nach Bonn? Frankfurt? Dortmund? Hamburg?

Und wann kommt	er sie	in Bonn Frankfurt Dortmund Hamburg	an?

Was fragen diese Personen?

ÜBUNG 3

Was fragen diese Personen?

Wann	fährt der Zug	zum Hafen	?
	der Bus	zum Bahnhof	
	die Fähre	nach Bremen	
	die Straßenbahn	nach Hamburg	
	fliegt die Maschine	nach München	

SZENE 3

1. Say that you're going to Hannover on July 20th, and you'd like to reserve a seat.
2. Ask when the coach leaves.
3. Ask if you have to change.

ANGESTELLTER	Was kann ich für Sie tun?
DU	. . . 1 . . .
ANGESTELLTER	Ja, sicher.
DU	. . . 2 . . .?
ANGESTELLTER	Um 13.40 Uhr.
DU	. . . 3 . . .?
ANGESTELLTER	Ja, in Köln müssen Sie umsteigen.

SZENE 4

1. Ask when the next train for Heilbronn leaves.
2. Ask which platform.
3. Ask when it arrives in Heilbronn.

ANGESTELLTER	Kann ich Ihnen helfen?
DU	. . . 1 . . .?
ANGESTELLTER	Um 17.50 Uhr.
DU	. . . 2 . . .?
ANGESTELLTER	Von Gleis 5.
DU	. . . 3 . . .?
ANGESTELLTER	So gegen Mitternacht.

Ist das der Zug nach Bremen?

SZENE 5

Alan und Kate kaufen Fahrkarten.

Am Fahrkartenschalter

ALAN Zweimal einfach nach Bremen, bitte.
BEAMTER Gern. Das macht 42 DM. 14.20 Uhr, auf Gleis 14.
ALAN Danke schön.

Später, auf Gleis 14

KATE Mensch, Alan! Meine Uhr steht! Es ist schon zwanzig nach zwei!
ALAN Ach, du Schande!
Entschuldigen Sie, ist das der Zug nach Bremen?
BEAMTER Ja. Steigen Sie schnell ein. Er fährt gleich ab!

Im Zug

KATE Gott sei Dank! Hier sind endlich zwei Plätze.
Entschuldigen Sie bitte, ist dieser Platz noch frei?
REISENDER Es tut mir leid, hier ist besetzt.
ALAN So ein Pech! Schade, dass wir keine Plätze reserviert haben. Jetzt müssen wir bis Bremen stehen.

ÜBUNG 1

Was fragen diese Personen?

Einmal Zweimal Dreimal	einfach (*single*) nach Bremen. nach Bremen, hin und zurück.

ÜBUNG 2

Was fragen diese Personen?

Ist das	der Zug der Bus die Fähre die Straßenbahn die Maschine die U-Bahn	nach Bonn? nach Hamburg? nach Bremen? zum Bahnhof? zum Marktplatz? zum Hafen?

ÜBUNG 3

Was fragen diese Personen?

Entschuldigen Sie bitte,	ist dieser Platz	noch frei	(?)
Es tut mir leid, Nein,	dieser Platz ist hier ist	besetzt reserviert	

ÜBUNG 4

Finde die deutschen Wörter.
Was ist das Lösungswort (↓)?

1. occupied, taken
2. reserved
3. the underground railway
4. free, unoccupied
5. the tram
6. return
7. the ferry

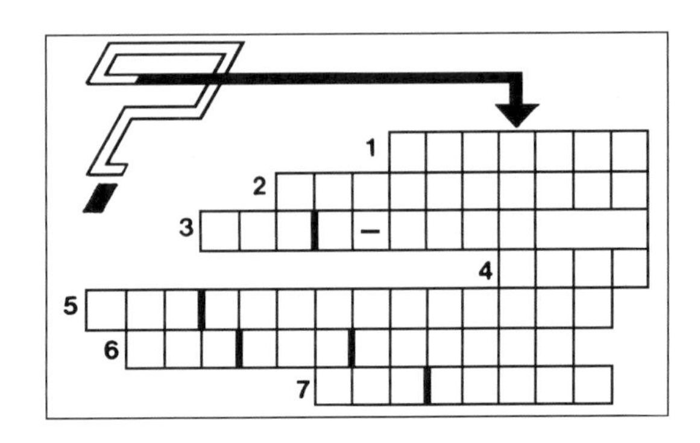

JETZT BIST DU DRAN!

SZENE 6

1. At the station, buy a return ticket to Düsseldorf.
2. On the platform, check that this is the train to Düsseldorf.
3. In the train, find a seat and ask politely if it's free.

Am Fahrkartenschalter	BEAMTER	Bitte schön?
	DU	. . . 1 . . .
	BEAMTER	8 DM. Bitte.
Auf dem Gleis	DU	. . . 2 . . .?
	REISENDER	Jawohl.
Im Zug	DU	. . . 3 . . .?
	REISENDE	Ja, hier ist noch frei.

SZENE 7

1. At the coach station, buy a single ticket to Münster.
2. Outside the coach, check that this is the one for Münster.
3. While you're stowing your luggage, someone takes your seat. Tell him that it's taken.

Am Busbahnhof	BEAMTER	Was kann ich für Sie tun?
	DU	. . . 1 . . .
	BEAMTER	14,50 DM, bitte schön.
Vor dem Bus	DU	. . . 2 . . .
	REISENDER	Ja, das ist er.
Im Bus	DU	. . . 3 . . .
	REISENDER	Oh, entschuldigen Sie.

Es freut mich, Sie kennenzulernen

SZENE 8

Herr und Frau Kern holen Alan und Kate am Hauptbahnhof in Bremen ab.

HERR KERN	Guten Tag! Ihr seid bestimmt Kate und Alan. Ich bin Hans Kern. Darf ich vorstellen? Hier ist meine Frau.
ALAN	Es freut mich, Sie kennenzulernen. Wie geht es Ihnen?
HERR KERN	Danke, gut. Und dir? Wie war die Reise?
ALAN	Ach, auch gut. Aber die Überfahrt war ein bisschen stürmisch.
KATE	Und der Zug war sehr voll!
FRAU KERN	Dann seid ihr bestimmt müde. Los, gehen wir gleich nach Hause.

Bei Familie Kern.

FRAU KERN	So, hier ist dein Zimmer, Kate.
KATE	Wie schön!
FRAU KERN	Und dort ist das Badezimmer.
KATE	Oh, darf ich vor dem Essen duschen?
FRAU KERN	Aber natürlich. Wir essen gegen sechs Uhr Abendbrot.
ALAN	Ach, bevor ich es vergesse: hier ist ein kleines Geschenk für Sie von meinen Eltern.
FRAU KERN	Das ist ja nett! Oh, Pralinen! Die essen wir sehr gern. Danke schön.
ALAN	Nichts zu danken.

ÜBUNG 1

Wer sagt was?

Guten Morgen!	Guten Appetit!
Guten Tag!	Gute Nacht!
Guten Abend!	Gute Reise!

ÜBUNG 2

Wer sagt was?

Es freut mich, Sie kennenzulernen.
Das ist ja nett!
Nichts zu danken!
Hier sind Blumen für Sie.

ÜBUNG 3

Was sagen diese Personen?

Wie geht es dir? Wie geht es Ihnen?	Und dir? Und Ihnen?	Hier ist ein kleines Geschenk für dich. Hier ist ein kleines Geschenk für Sie.

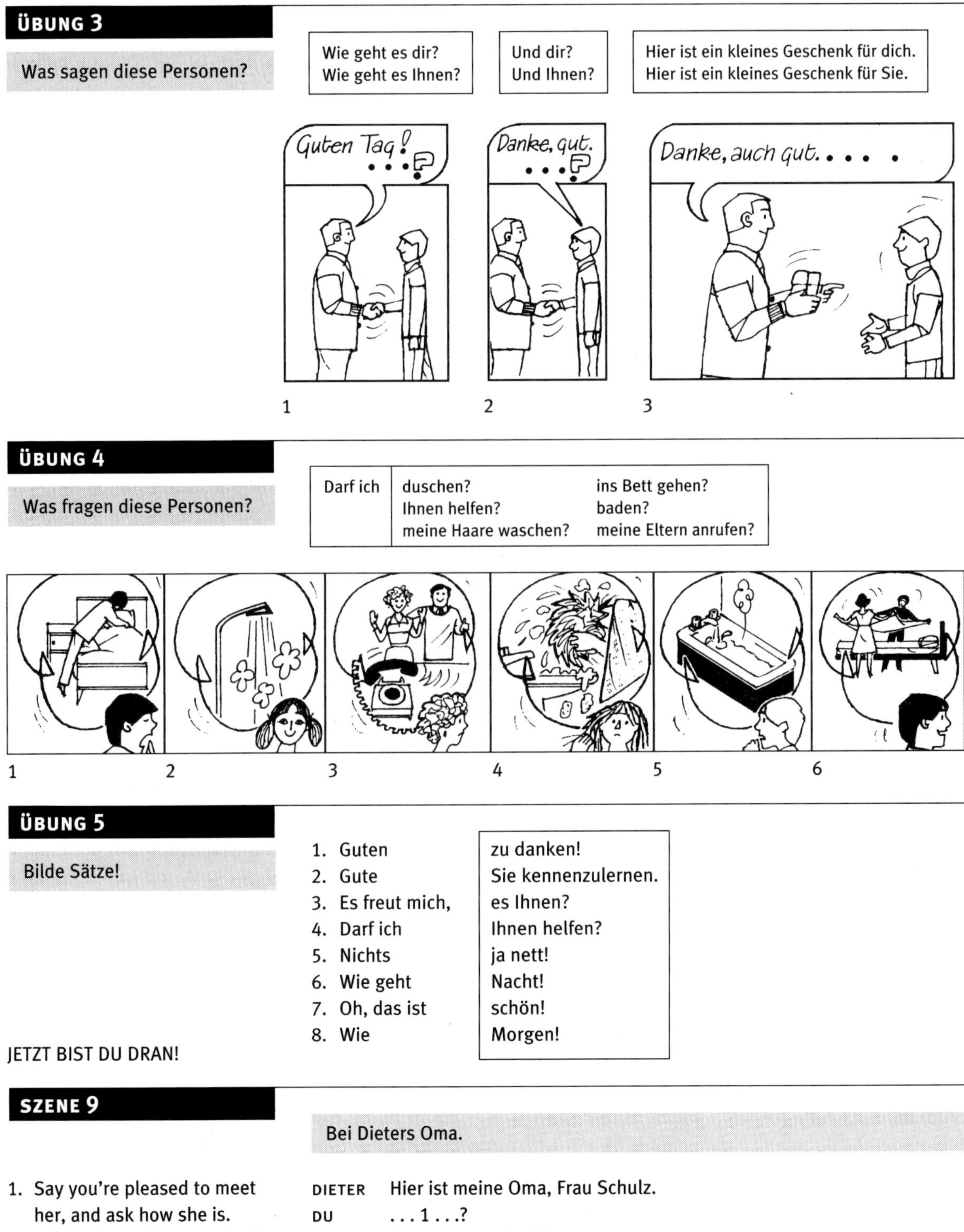

ÜBUNG 4

Was fragen diese Personen?

Darf ich	duschen? Ihnen helfen? meine Haare waschen?	ins Bett gehen? baden? meine Eltern anrufen?

1 2 3 4 5 6

ÜBUNG 5

Bilde Sätze!

1. Guten
2. Gute
3. Es freut mich,
4. Darf ich
5. Nichts
6. Wie geht
7. Oh, das ist
8. Wie

zu danken! Sie kennenzulernen. es Ihnen? Ihnen helfen? ja nett! Nacht! schön! Morgen!

JETZT BIST DU DRAN!

SZENE 9

Bei Dieters Oma.

1. Say you're pleased to meet her, and ask how she is.
2. Say you're well too, and offer her some flowers.
3. Say 'don't mention it', and ask if you can help her.

DIETER	Hier ist meine Oma, Frau Schulz.
DU	. . . 1 . . .?
OMA	Danke gut, und dir?
DU	. . . 2 . . .
OMA	Wie nett! Danke vielmals.
DU	. . . 3 . . .?
OMA	Ach, das ist nicht nötig.

Das schmeckt gut!

SZENE 10

Kate und Alan essen Abendbrot bei der Familie Kern.

FRAU KERN	Nimm doch eine Gurke, Alan.
ALAN	Nein, danke. Ich esse Gurken nicht so gern. Ich esse lieber eine Scheibe Brot mit Wurst.
FRAU KERN	Kate, möchtest du Käse?
KATE	Ja, ich esse gern Käse. Danke vielmals.
HERR KERN	Hast du Durst, Kate? Möchtest du Bier probieren?
KATE	Nur ein wenig. Hmm, nein, Bier schmeckt mir nicht so gut. Ich trinke lieber ein Glas Sprudel.
HERR KERN	Alan, trinkst du lieber Bier oder Sprudel?
ALAN	Ach, ich trinke gern Bier . . . Mmm, das schmeckt gut!
FRAU KERN	Möchtest du noch etwas Käse, Kate?
KATE	Nein danke, ich bin schon satt. Das Essen hat sehr gut geschmeckt.

ÜBUNG 1

Was sagt Alan?

Ja bitte,	ich esse	gern . . .
Nein danke,	ich trinke	. . . nicht so gern.

1 2 3 4 5 6

ÜBUNG 2

Was sagen diese Personen?

Ich esse	lieber . . .
Ich trinke	

1 2 3 4 5 6

ÜBUNG 3

Wer sagt was?

Nur ein wenig.
Das schmeckt gut!
Nein danke, ich bin schon satt.
Schinken schmeckt mir nicht so gut.
Das Essen hat sehr gut geschmeckt.

1 2 3 4 5

JETZT BIST DU DRAN!

SZENE 11

Bei einer deutschen Familie.

1. Say that you'd rather eat a sausage.
2. Tell her that you don't like potato salad.
3. Say that it tastes good.
4. Say no thanks, and tell her you're full up.

SZENE 12

Noch ein Essen!

1. Ask for just a little.
2. Say you like drinking lemonade.
3. Tell him that you prefer to drink wine.
4. Say yes. Tell him that the meal tasted very good.

Ich möchte gern Leberwurst

SZENE 13

Alan und Kate gehen einkaufen.

Beim Bäcker

FRAU KERN Diesmal kaufe ich ein. Also, geben Sie mir bitte ein Paket Schwarzbrot und eine Tüte Kekse.

BÄCKER Sonst noch einen Wunsch?

FRAU KERN Nein, das wär's, danke.

Beim Fleischer

FRAU KERN So Kate, jetzt bist du daran!

KATE Geben Sie mir bitte 250 Gramm Leberwurst. Ich möchte auch gern Schinken.

FLEISCHER Ja, dieser hier ist sehr gut.

KATE Ich nehme sechs Scheiben. Was macht das insgesamt?

FLEISCHER 6,50 DM.

KATE Danke schön.

FLEISCHER Ich danke auch! Sie sprechen aber sehr gut Deutsch!

Beim Obst- und Gemüsehändler

ALAN Ich möchte gern ein Pfund Tomaten und zwei Kilo Kartoffeln.

GEMÜSEHÄNDLER Bitte schön. Ist das alles?

ALAN Haben Sie auch Pfirsiche?

GEMÜSEHÄNDLER Ja, diese hier kosten 50 Pf. das Stück.

ALAN Ich nehme sechs Pfirsiche. Und was kosten die Weintrauben?

GEMÜSEHÄNDLER Sie kosten 4 DM pro Kilo.

ALAN Ich nehme ein halbes Kilo.

ÜBUNG 1

Ich möchte gern	Milch	Brot	Zucker	Bonbons	Kartoffeln	
	Käse	Eier	Honig	Schinken	Apfelsinen	
Haben Sie	Äpfel	Butter	Birnen	Limonade	Schokolade	(?)
	Tee	Salami	Tomaten	Kirschen	Pfirsiche	
Geben Sie mir bitte	Bier	Kaffee	Bananen	Brötchen	Erdbeeren	!

A. Was möchtest du?

1 2 3 4 5

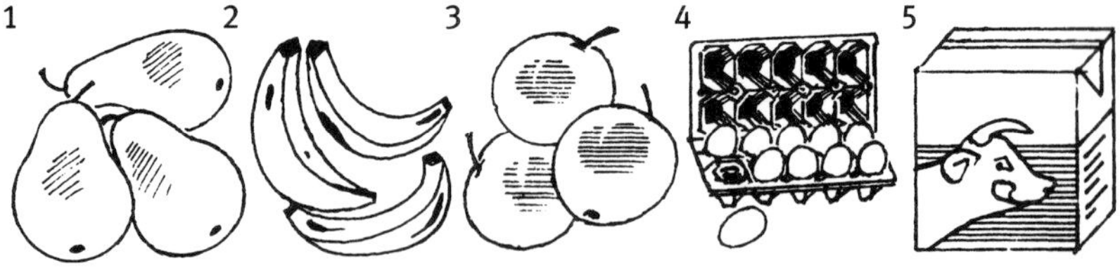

B. Frag, ob der Händler diese Sachen hat.

1 2 3 4 5

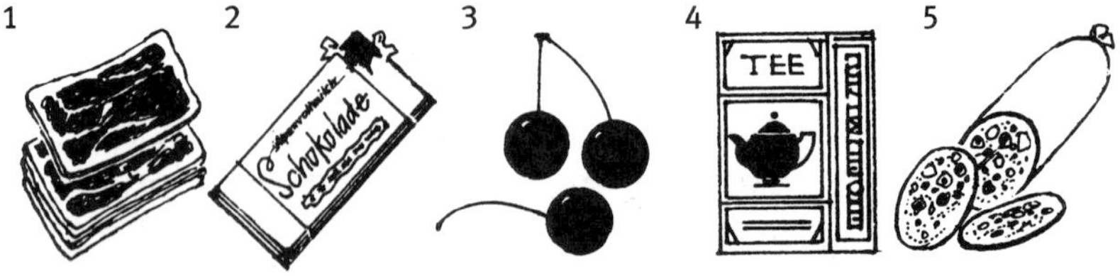

C. Sag, „Geben sie mir bitte . . .“

1 2 3 4 5

ÜBUNG 2

Was kostet Ich nehme Geben Sie mir bitte	ein Paket ein Stück (*piece*)	Schwarzbrot Tee Käse Kuchen	(?)
	ein Kilo ein Pfund = ein halbes Kilo 250 Gramm = ein halbes Pfund	Kartoffeln Tomaten Kirschen Butter Weintrauben	
	eine Dose (*tin*)	Ananas Cola	
	ein Glas (*jar*)	Honig Marmelade	
	eine Flasche	Weißwein Limonade	
	sechs Scheiben (*slices*)	Salami Schinken	
	eine Tüte (*bag, carton*)	Milch Kekse	

A. Frag, was der Preis ist.

1 2 3 4

B. Sag, was du nimmst.

1 2 3 4

C. Sag, „Geben sie mir bitte . . .“

1 2 3 4

ÜBUNG 3

Was	kostet	der	Käse? Kaffee?
		die	Limonade? Schokolade? Butter?
		das	Brot? Bier?
	kosten	die	Eier? Erdbeeren? Bananen?

Frag, was der Preis ist.

SZENE 14

Im Lebensmittelgeschäft.

1. Ask the price of the sugar.
2. Say that you'll take one packet of sugar, and ask him to give you 250 grams of butter.
3. Ask how much that comes to altogether.

VERKÄUFER Kann ich Ihnen behilflich sein?
DU . . . 1 . . .?
VERKÄUFER 2,50 DM.
DU . . . 2 . . .
VERKÄUFER Bitte schön.
DU . . . 3 . . .?
VERKÄUFER 4,90 DM.

SZENE 15

Beim Obsthändler.

1. Say you'd like bananas and apples. Ask how much the bananas are.
2. Ask if they've got any pears.
3. Say no, that's all.

VERKÄUFERIN Was kann ich für Sie tun?
DU . . . 1 . . .?
VERKÄUFERIN 2,80 pro Kilo.
DU . . . 2 . . .?
VERKÄUFERIN Heute leider nicht. Sonst noch etwas?
DU . . . 3 . . .

Wo haben Sie T-shirts?

SZENE 16

Alan geht zum Kaufhaus. Er braucht ein T-shirt.

ALAN Wo haben Sie Herren-T-shirts?
VERKÄUFERIN Die gibt's in der Herrenabteilung.
ALAN Und wo ist die Herrenabteilung?
VERKÄUFERIN Im dritten Stock. Sie nehmen am besten die Rolltreppe.

In der Herrenabteilung

VERKÄUFER Kann ich Ihnen behilflich sein?
ALAN Ja. Ich suche ein Bremer T-shirt.
VERKÄUFER Aber selbstverständlich. Hier habe ich ein T-shirt mit einem Bild von den Bremer Stadtmusikanten. Leider haben wir aber nur noch Größe 44.
ALAN Ach nein, das ist zu groß. Haben Sie etwas Kleineres?
VERKÄUFER Nur dieses rosa T-shirt mit einem Bild von einer kleinen Katze.
ALAN Nein, das nehme ich nicht. Ich glaube nicht, dass es mir steht.
VERKÄUFER Auf Wiedersehen!

ÜBUNG 1

Was fragen diese Personen?

Wo haben Sie Wo finde ich Haben sie Ich suche	CDs T-shirts Farbfilme Ansichtskarten Zahnpasta Taschenlampen Batterien Pralinen Tennisschläger Kugelschreiber	(?)

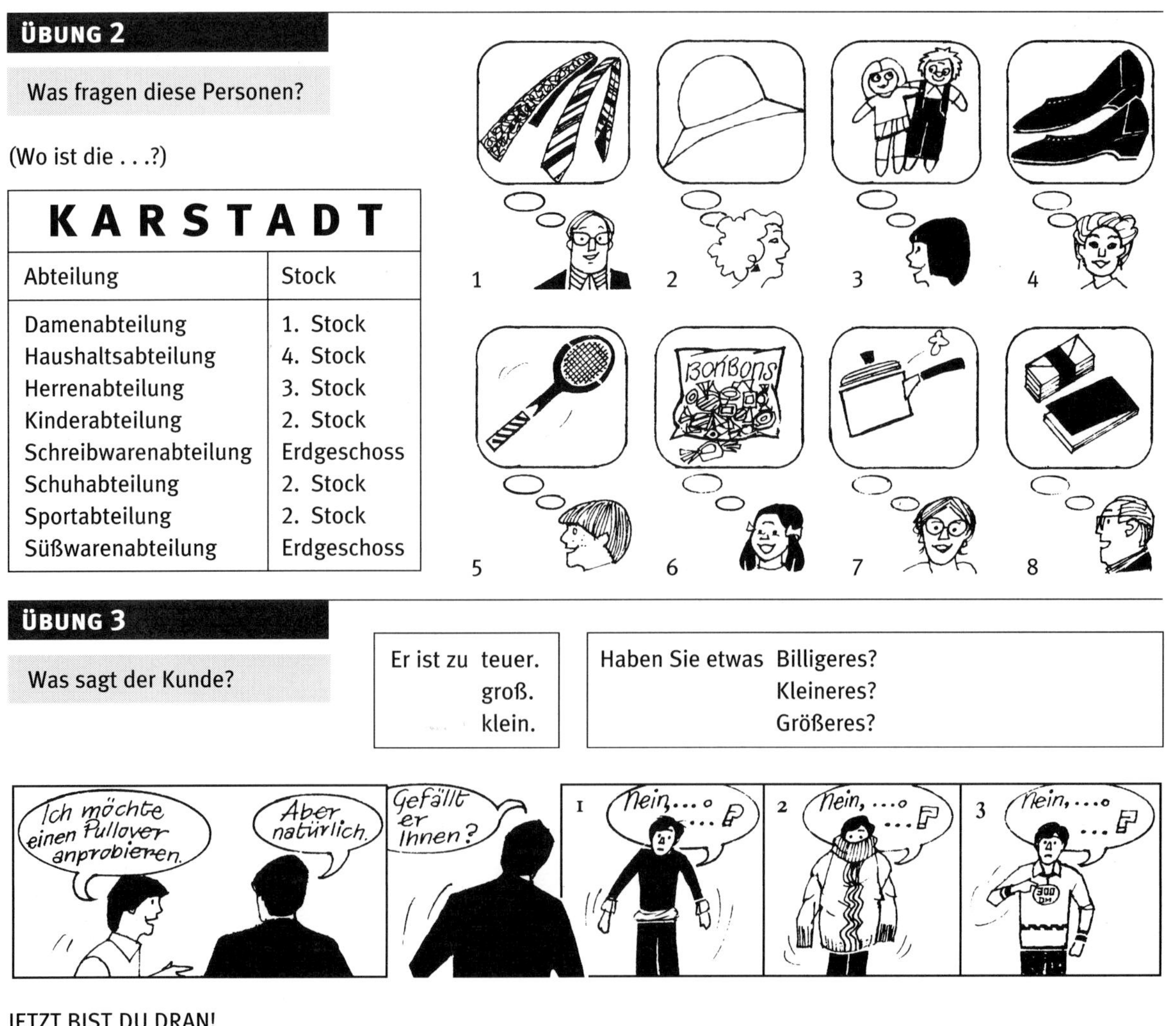

ÜBUNG 2

Was fragen diese Personen?

(Wo ist die . . .?)

KARSTADT	
Abteilung	Stock
Damenabteilung	1. Stock
Haushaltsabteilung	4. Stock
Herrenabteilung	3. Stock
Kinderabteilung	2. Stock
Schreibwarenabteilung	Erdgeschoss
Schuhabteilung	2. Stock
Sportabteilung	2. Stock
Süßwarenabteilung	Erdgeschoss

ÜBUNG 3

Was sagt der Kunde?

Er ist zu teuer.
groß.
klein.

Haben Sie etwas Billigeres?
Kleineres?
Größeres?

JETZT BIST DU DRAN!

SZENE 17

Jetzt bist du bei Karstadt.

1. Ask where they have torches.
2. Ask where the household department is.
3. When the assistant shows you a torch, say that it's too dear. Ask if he has anything cheaper.

VERKÄUFERIN	Kann ich Ihnen helfen?
DU	. . . 1 . . .?
VERKÄUFERIN	Die finden Sie in der Haushaltsabteilung.
DU	. . . 2 . . .?
VERKÄUFERIN	Im dritten Stock.
	***
VERKÄUFER	Diese Taschenlampe hier ist sehr preiswert.
DU	Sie ist . . . 3 . . .?
VERKÄUFER	Leider nicht.

Wie komme ich am besten dahin?

SZENE 18

Alan fährt heute zum Schwimmbad.

ALAN	Frau Kern, gibt es hier in der Nähe ein Schwimmbad?
FRAU KERN	Das nächste Freibad ist das „Waller Bad".
ALAN	Ist es weit von hier? Kann ich zu Fuß gehen?
FRAU KERN	Nein, es ist sechs Kilometer von hier.
ALAN	Wie komme ich am besten dahin?
FRAU KERN	Am besten fährst du mit dem Bus Linie 26 bis zur Stadtmitte. Dann musst du mit der Straßenbahn Linie 2 bis zum „Waller Bad" fahren. Das Freibad ist direkt gegenüber der Haltestelle.

SZENE 19

Alan kauft Karten für die Straßenbahn.

ALAN	Guten Tag! Ich hätte gern eine Sammelkarte.
INHABER	Bitte schön. Vierzehn Mark.
ALAN	Entschuldigen Sie bitte, wo ist die nächste Bushaltestelle?
INHABER	Also, nehmen Sie die erste Straße rechts, und gehen Sie geradeaus bis zur Langemarckstraße. Die Haltestelle ist gleich links um die Ecke. Wohin wollen Sie denn fahren?
ALAN	Ich fahre Richtung Brill.
INHABER	Dann stehen Sie auf der rechten Seite.
ALAN	Herzlichen Dank!
INHABER	Gern geschehen!

ÜBUNG 1

A. Frag, ob es diese Sachen gibt! (Gibt es . . .?)
B. Frag, wo es diese Sachen gibt! (Wo ist . . .?)

Gibt es Wo ist	hier in der Nähe	ein . . .? eine . . .?

1 	2 	3 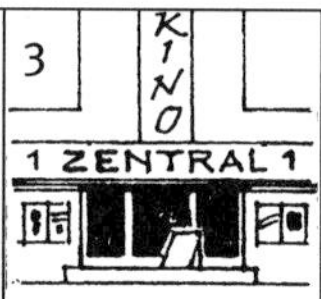	4 	5 
eine Kirche	ein Schwimmbad	ein Kino	eine Jugendherberge	ein Reisebüro
1 	2 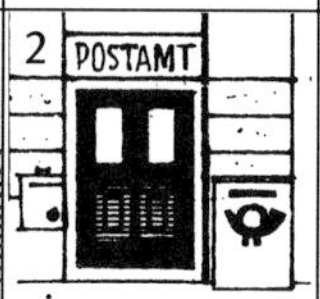	3 	4 	5 
eine Sparkasse	ein Postamt	ein Krankenhaus	eine Tankstelle	ein Hotel

ÜBUNG 2

Frag, wie man am besten dahinkommt!

eine Kirche:
ein Bahnhof:
Städte:

Wie komme ich am besten	**zur** Kirche? **zum** Bahnhof? **nach** Bremen?

 1	 2	 3	 4	 5	 6	 7
	BAHNHOF	Hamburg		KINO 1 REGINA 1	München	Sparkasse

ÜBUNG 3

Wie fährt man am besten?
Wo fährt man ab?

Kann ich	mit dem Bus fahren? mit der Straßenbahn/ U-Bahn fahren? zu Fuß gehen?

Wo ist die nächste	Bushaltestelle? Straßenbahnhaltestelle? U-Bahn Station?

Beispiel
Kann ich **zu Fuß** gehen?
Wo ist die nächste **Bushaltestelle**?

JETZT BIST DU DRAN!

SZENE 20

Am Flughafen in Bremen.

1. Ask an airport employee if there is an information bureau near here.
2. Ask how you get to the station.
3. Ask where the nearest tram stop is.

BEAMTE	Was kann ich für Sie tun?
DU	. . . 1 . . .?
Beamte	Er ist vor dem Bahnhof, im Breitenweg.
DU	. . . 2 . . .?
BEAMTE	Nehmen Sie die Straßenbahn Line 5.
DU	. . . 3 . . .?
BEAMTE	Sie ist dort drüben, an der Ecke.

SZENE 21

Du suchst ein Schwimmbad.

1. Ask a resident where there is a swimming pool near here.
2. Ask if it's far from here.
3. Ask whether you can walk there.

EINWOHNER	Sie sehen etwas verwirrt aus. Suchen Sie etwas Bestimmtes?
DU	. . . 1 . . .?
EINWOHNER	Das Zentralbad ist im Grünenweg.
DU	. . . 2 . . .?
EINWOHNER	Ungefähr vier Kilometer.
DU	. . . 3 . . .?
EINWOHNER	Nein, am besten nehmen Sie den Bus Linie 25 Richtung Hauptbahnhof.

Schau den Stadtplan auf Seite 43 an.

ÜBUNG 4

Beginn auf der Bürgermeister-Smidt-Brücke. Welche Antwort ist richtig? A, B, C oder D?

1. Wie komme ich am besten zur Jugendherberge?
2. Wie komme ich am besten zur Sparkasse?
3. Wie komme ich am besten zur Martinikirche?
4. Wie komme ich am besten zum Verkehrsverein?

A. Er ist ziemlich weit von hier. Gehen Sie immer geradeaus bis zum Ende der Straße. Gehen Sie dann rechts an der Bibliothek vorbei. Er ist im Breitenweg vor dem Bahnhof.
B. Sie ist in der Martinistraße, natürlich. Gehen Sie bis zum Brill, biegen Sie nach rechts, und sie ist auf der rechten Seite.
C. Am Ende der Brücke nehmen Sie die erste Straße links und gehen Sie an der Weser entlang. Sie ist auf der rechten Seite, direkt am Fluß.
D. Die nächste ist am Brill. Gehen Sie hier geradeaus bis zur Kreuzung – die heißt „Am Brill" – und sie ist auf der linken Seite.

ÜBUNG 5

Was fragen diese Personen? Sie stehen auf der Großen Weserbrücke.

1. Wie komme ich am besten zur . . .?
2. Wie komme ich am besten zum . . .?
3. Wie komme ich am besten zum . . .?

Gehen Sie hier geradeaus, dann nehmen Sie die dritte Straße rechts. Gehen Sie am Polizeihaus vorbei, dann sehen Sie sie im Park an der rechten Seite.

Gehen Sie geradeaus, dann nehmen Sie die dritte Straße links, bis Sie zum Dom kommen. Es ist gleich neben dem Dom, direkt am Marktplatz.

Das ist nicht weit von hier. Sie nehmen die dritte Straße rechts, dann gehen Sie immer geradeaus. Hinter dem Stadtgraben nehmen Sie die erste Straße rechts, und es ist auf der linken Seite.

ÜBUNG 6

Was fragen diese Personen? Sie kommen aus dem Hauptbahnhof.

1. Wie komme ich am besten . . . ?
2. Wie komme ich . . . ?
3. Wie . . . ?
4. . . . ?

Am besten gehen Sie hier geradeaus bis zum Breitenweg. Gehen Sie nach links am Verkehrsverein vorbei, und dann nehmen Sie die erste links und dann die erste rechts. Es ist auf der linken Seite.

Ja, sie ist hier ganz in der Nähe, im Breitenweg. Sie steht vor dem Museum.

Gehen Sie zum Breitenweg und biegen Sie nach links. Nehmen Sie die vierte Straße rechts, und es ist auf der rechten Seite.

Er ist hier am Bahnhofplatz, zwischen dem Museum und dem Verkehrsverein.

INNENSTADT BREMEN – SEHENSWÜRDIGKEITEN

1 das Museum
2 der Hauptbahnhof
3 die Bibliothek
4 der Zentralomnibusbahnhof (ZOB)
5 der Verkehrsverein
6 das Postamt
7 die Stephanikirche
8 die Jugendherberge
9 die Sparkasse
10 Martin Kiefert
11 das Zentralbad
12 das Rathaus
13 der Dom
14 die Martinikirche
15 der Marktplatz
16 das Polizeihaus
17 die Kunsthalle
18 das Theater

Haben Sie einen Stadtplan?

SZENE 22

Kate geht zum Verkehrsverein (Informationsbüro).

KATE	Guten Tag! Ich schreibe eine Arbeit über Bremen für meine Schule in England. Haben Sie einen Stadtplan und einen Prospekt über die Stadt?
ANGESTELLTE	Natürlich. Kennen Sie die Stadt schon?
KATE	Nein, noch nicht. Was gibt es Interessantes zu sehen?
ANGESTELLTE	Nun ja. Das Übersee-Museum ist besonders interessant, und hier habe ich auch einen Prospekt über die Altstadt, die „das Schnoorviertel“ heisst.
KATE	Ich möchte auch eine Hafenrundfahrt machen. Geht das?
ANGESTELLTE	Ja. Die Schiffe fahren alle zwei Stunden vom Martinianleger ab. Der ist vor der Martinikirche. Die Rundfahrt dauert eine Stunde.
KATE	Kann ich auch den Dom besichtigen?
ANGESTELLTE	Ja, der Dom ist durchgehend geöffnet. Und vergessen Sie die Stadtmusikanten nicht!
KATE	Natürlich nicht!

ÜBUNG 1

Was fragen die Touristen?

Haben Sie	einen Stadtplan von Bremen? einen Prospekt über die Altstadt? Karten für das Konzert? das Theater? einen Fahrplan für die Bundesbahn? Autobusse? Straßenbahn?

1

2

3

4

5

6

ÜBUNG 2

Was sind die Fragen? (Es gibt mehr als eine Möglichkeit.)

Was gibt es	Interessantes heute bei schlechtem Wetter heute abend	in der Stadt in der Gegend (*region*) im Theater/im Kino in der Konzerthalle	zu tun? zu sehen?

1. „. . .?"
   „Sie können eine Hafenrundfahrt machen. Die nächste fängt um zwei Uhr an."
2. „. . .?"
   „Die Altstadt ist sehr interessant. Hier können Sie reizvolle alte Straßen und Häuser sehen."
3. „. . .?"
   „Im Goethe-Theater wird *Faust* gespielt."
4. „. . .?"
   „Sie könnten vielleicht einen Ausflug nach Bremerhaven machen. Die Stadt liegt 55 Kilometer von Bremen."
5. „. . .?"
   „Wollen Sie sich einen Film ansehen? Das Kino ist ab drei Uhr nachmittags geöffnet."

ÜBUNG 3

Sag, was du in Bremen machen möchtest. Frag, was du besichtigen kannst.

Ich möchte	eine Hafenrundfahrt eine Stadtrundfahrt einen Ausflug nach . . .	machen.
	die Sehenswürdigkeiten die Altstadt den Marktplatz	sehen.

Kann ich auch Wann kann ich	den Dom das Museum das Rathaus die Martinikirche	besichtigen?

Wann macht	der Dom das Museum das Rathaus	auf? zu?

Ist	der Dom das Museum das Rathaus	geöffnet/geschlossen?

JETZT BIST DU DRAN!

SZENE 23

Du bist im Verkehrsverein.

1. Say you'd like to see the sights of Bremen.
2. Ask what there is to see of interest in the town.
3. Say you'd like to go on an outing to Hamburg, and ask if they have a train timetable.

DAME Guten Tag! Willkommen in Bremen!
DU . . . 1 . . .
DAME Am besten machen Sie eine Stadtrundfahrt. Dann können Sie alles sehen.
DU . . . 2 . . .?
DAME Es gibt vieles zu sehen. Hier ist ein Prospekt.
DU . . . 3 . . .?
DAME Hier leider nicht. Erkundigen Sie sich im Hauptbahnhof.

Ich nehme eine Currywurst

SZENE 24

„Martin Kiefert“ ist ein Imbiss in Bremen. Alan, Kate, Thomas und Brigitte gehen essen.

THOMAS	So, Freunde, ich gebe einen aus!
BRIGITTE	Klasse! Hier ist die Speisekarte auf der Theke. Ich nehme eine Bratwurst mit gemischtem Salat. Alan, was willst du denn essen?
ALAN	Was ist denn eine Frikadelle?
BRIGITTE	Ein Fleischbällchen.
ALAN	Okay, dann möchte ich eine Frikadelle . . .
KATE	Und ich nehme eine Currywurst mit Pommes Frites.
THOMAS	Ich auch. Was für Getränke haben Sie?
ANGESTELLTER	Fanta, Cola, Apfelsaft, Tee, Kaffee . . .
THOMAS	Ist gut, ist gut! Ich nehme eine Flasche Cola.
BRIGITTE	So, eine Flasche Cola und drei Tassen Kaffee.
THOMAS	Moment! Ich möchte auch eine Tasse Kaffee. Was macht das alles?
ANGESTELLTER	Noch eine Tasse Kaffee. Das macht insgesamt 22,50 DM.
THOMAS	Ach nein! Wie peinlich! Ich habe mein Portemonnaie zu Hause vergessen!
BRIGITTE	Mensch, Thomas, du Idiot! Jetzt muß *ich* bezahlen, was? Na ja, . . . Hallo! Zahlen bitte!

Hier ist die Speisekarte bei Martin Kiefert.

Martin Kiefert

Suppe

Hühnerbrühe mit Brötchen	Tasse	1,50

Fleischgerichte

Bratwurst mit Kartoffel-Salat	3,50
Bratwurst, Pommes frites, gemischter Salat	4,90
Bockwurst mit Kart.-Salat	3,50
Bockwurst mit Kart.-Salat, gem. Salat	4,90
Bratwurst mit Curry, Pommes frites	3,80
Paniertes Schweinekotelett, Pommes frites, Bohnensalat	6,70
„Hawaii“-Schnitzel, Röstkartoffeln, Rohkost-Salat	7,20
Kalbsschnitzel „Wiener Art“, Spiegelei, Röstkartoffeln, Bohnensalat	7,90
Rumpsteak mit Sahnemeerrettich, Pommes frites, gem. Salat	9,10
Pfeffersteak, Zwiebeln, Röstkartoffeln, gem. Salat	9,10
Cheeseburger auf Sesambrötchen Pommes frites, gemischter Salat	5,30

Kl. Gerichte auf Toast

Toast „Hawaii“ (Schinken, Käse, Ananas)	2,60
Toast „Helvetia“ (Schinken, Käse, Spiegelei)	3,--
Rumpsteak mit Champignons, gemischter Salat	9,40

Pikante kalte Speisen

Matjesfilet in Sahne, Äpfel und Zwiebeln, Röstkartoffeln	4,60
Frikadelle mit Kartoffelsalat, Schaschliksauce, gem. Salat	4,60

Beilagen

Hausmachersalat	1,60
Mayonnaise	--,30

Kuchen

Berliner	1,--
Apfelkuchen	1,--
Viktoria	1,--
Apfelkuchen mit Sahne	1,30
Obstkuchen mit Sahne	1,30

Kaffee und Tee

Kaffee mit Sahne	Tasse	1,10
Trinkschokolade		1,10
Tee mit Sahne oder Zitrone	Glas	1,10

Milchgetränke

Vollmilch	0,25 Ltr.	-,70
Trink-Kakao	0,25 Ltr.	-,90
Joghurt mit Früchten	Becher	1,--

Erfrischungsgetränke

Fanta Still	0,2 Ltr.	1,--
Coca-Cola	0,2 Ltr. Flasche	1,20
Fanta	0,25 Ltr. Flasche	1,20
Apfelsaft	0,2 Ltr.	1,20

Das kannst du bestellen.

Ich nehme (*I'll have*) Noch (*Another*)	eine Bockwurst (*frankfurter*) eine Bratwurst (*fried sausage*) eine Frikadelle (*meat ball*) eine Hühnerbrühe (*chicken soup*) ein Kalbschnitzel „Wiener Art" (*Wienerschnitzel; breaded veal*) ein Matjesfilet (*herring*) ein paniertes Schweinekotelett (*breaded pork chop*) ein Pfeffersteak (*pepper steak*) einen Cheeseburger	mit	Ananas (*pineapple*). Bohnensalat (*bean salad*). Brötchen (*a roll*). Champignons (*mushrooms*). gemischtem Salat (*mixed salad*). Hausmachersalat (*homemade salad*). Kartoffelsalat (*potato salad*). Käse. Mayonnaise.	Pommes Frites (*chips*). Rohkostsalat (*raw salad*). Röstkartoffeln (*sauté potatoes*). Schinken (*ham*). Sahnemeerrettich (*horseradish*). Sesambrötchen (*sesame roll*). Schaschliksauce (*hot spicy sauce*). Spiegelei (*fried egg*). Zwiebeln (*onions*).
	eine Tasse (*cup*) ein Glas ein Kännchen (*pot*) eine Flasche ein Viertel Liter (*o.25 litre*) eine Dose (*can*)	Kaffee Milch Tee Cola Fanta Apfelsaft (*apple juice*)	mit (*with*) ohne (*without*)	Sahne (*cream*). Zitrone (*lemon*).
	einen Becher Joghurt ein Eis einen Berliner (*doughnut*) einen Viktoria (*iced doughnut*) ein Stück Apfelkuchen ein Stück Obstkuchen (*fruit flan*)			

ÜBUNG 1

Was bestellen diese Personen? (Ich nehme . . .)

ÜBUNG 2

Wie bestellen sie noch mehr? (Noch . . .)

ÜBUNG 3

Was für	Eis Kuchen Getränke Obst Käse	haben Sie?

Was fragen diese Personen?

JETZT BIST DU DRAN!

SZENE 25

Beim Imbiss.

1. Say you'll have a meatball and chips, a doughnut and a can of Fanta.
2. Then ask for another Fanta.
3. Ask how much it comes to.

DAME	Bitte schön?
DU	. . . 1 . . .
DAME	Haben Sie noch einen Wunsch?
DU	. . . 2 . . .
DAME	So, bitte sehr.
DU	. . . 3 . . .?
DAME	Das macht 8 DM.

SZENE 26

In der Konditorei.

1. Order a slice of fruit flan with cream.
2. Ask what drinks they have.
3. Ask for a pot of coffee.

FRÄULEIN	Sie wünschen bitte?
DU	. . . 1 . . .
FRÄULEIN	Und was möchten Sie trinken?
DU	. . . 2 . . .?
FRÄULEIN	Kaffee, Tee . . .
DU	. . . 3 . . .
FRÄULEIN	Bitte sehr.

STELLE EIN ESSEN ZUSAMMEN!

Du bist im Imbiss. Du hast Hunger und Durst! Was bestellst du? Du hast nur 12 DM.

Jetzt hast du viel Geld. Kaufe alles, was du willst!

Wann beginnt der Film?

SZENE 27

Brigitte, Thomas, Alan und Kate gehen ins Kino.

THOMAS	Schau mal, im Gloria 1 läuft „Der Vampir und die Prinzessin“.
ANGESTELLTER	Da haben Sie Pech, junger Mann. Der Film ist erst ab 18 Jahre.
THOMAS	Was für ein Film läuft im Gloria 2?
ANGESTELLTER	Da läuft ein Kinderfilm.
THOMAS	Und im Gloria 3?
ANGESTELLTER	„Harte Fäuste". Das ist ein Western.
THOMAS	Na ja, dann müssen wir uns wohl den Western ansehen.
ALAN	Wo wollen wir sitzen?
THOMAS	Ich möchte vorne sitzen.
KATE	Warum, hast du deine Brille vergessen?
THOMAS	Nein, vorne ist es schön billig!
BRIGITTE	Was kosten die Karten?
ANGESTELLTER	10 DM.
BRIGITTE	Also, viermal, bitte. Wann beginnt der Film?
ANGESTELLTER	Der Western läuft um acht Uhr, und ist um 9.45 zu Ende.
THOMAS	Schön. Wir können dann hinterher eine Bratwurst essen, bevor wir nach Hause fahren.

ÜBUNG 1

Was fragen diese Personen?

Was läuft	heute? diese Woche?

Wann beginnt	das Stück? der Film? das Konzert? das Spiel?

Und wann ist	das Stück der Film das Konzert das Spiel	zu Ende?

Wann . . . ?
Und wann . . . ?
1

Wann . . . ?
Und wann . . . ?
2

Wann . . . ?
Und wann . . . ?
3

ÜBUNG 2

Was sagen diese Personen?

Einmal/Zweimal Dreimal/Viermal fünfmal	für heute abend/für morgen für Gloria 1/für den Western	bitte.
Was kosten die Karten?		

1 2 3 4 5

Montag (Heute) X
Dienstag ✓

Gloria 1

heute
20:00

JETZT BIST DU DRAN!

SZENE 28

Du kaufst Kinokarten.

1. Ask for two tickets for 8 o'clock tonight.
2. Ask when the film starts.
3. Find out when it finishes.

ANGESTELLTE	Sie wünschen?
DU	. . . 1 . . .
ANGESTELLTE	Das macht 24 DM.
DU	. . . 2 . . .?
ANGESTELLTE	Der Hauptfilm fängt um 7.30 Uhr an.
DU	. . . 3 . . .?
ANGESTELLTE	Er ist um zehn Uhr zu Ende.

Volltanken, bitte!

SZENE 29

Familie Kern macht einen Ausflug.

HERR KERN Wir haben fast kein Benzin mehr.
Verzeihung! Wo ist hier die nächste Tankstelle?
PASSANTIN Es gibt eine Shell-Tankstelle ungefähr einen Kilometer von hier.
HERR KERN Und wie komme ich zur Tankstelle?
PASSANTIN Fahren Sie immer geradeaus.

An der Tankstelle

HERR KERN Volltanken, bitte! Und prüfen Sie auch den Ölstand!
ANGESTELLTER Das geht nicht, mein Herr. Dies ist eine Selbstbedienungstankstelle. Ich nehme nur das Geld! *Sie* müssen tanken.

Später, auf der Bundesstraße

FRAU KERN Warum fährt der Wagen so komisch?
HERR KERN Halt doch mal an. Ich rufe die nächste Reparaturwerkstatt an.

Am Telefon

HERR KERN Hallo! Ich habe eine Panne. Mein Auto steht auf der Bundesstraße 530, zehn Kilometer von Emden. Der Motor ist nicht in Ordnung.
MECHANIKER Ja, aber es ist doch Freitagabend. Die Werkstatt ist geschlossen.
HERR KERN Aber mein Auto ist kaputt. Könnten Sie mir bitte helfen? Könnten Sie vielleicht einen Mechaniker herschicken?
MECHANIKER Es tut mir leid. Ich gehe jetzt nach Hause.
BRIGITTE Das wird ein tolles Wochenende!

ÜBUNG 1

Was sagen diese Personen?

Volltanken 30 Liter Normal (2-star) 20 Liter Super (4-star) 20 Liter Bleifrei (unleaded) 30 Liter Diesel Super für 40 DM Einen Liter Öl	bitte!

Prüfen Sie bitte	das Wasser! den Ölstand! (*oil*) den Luftdruck! (*tyre pressure*)

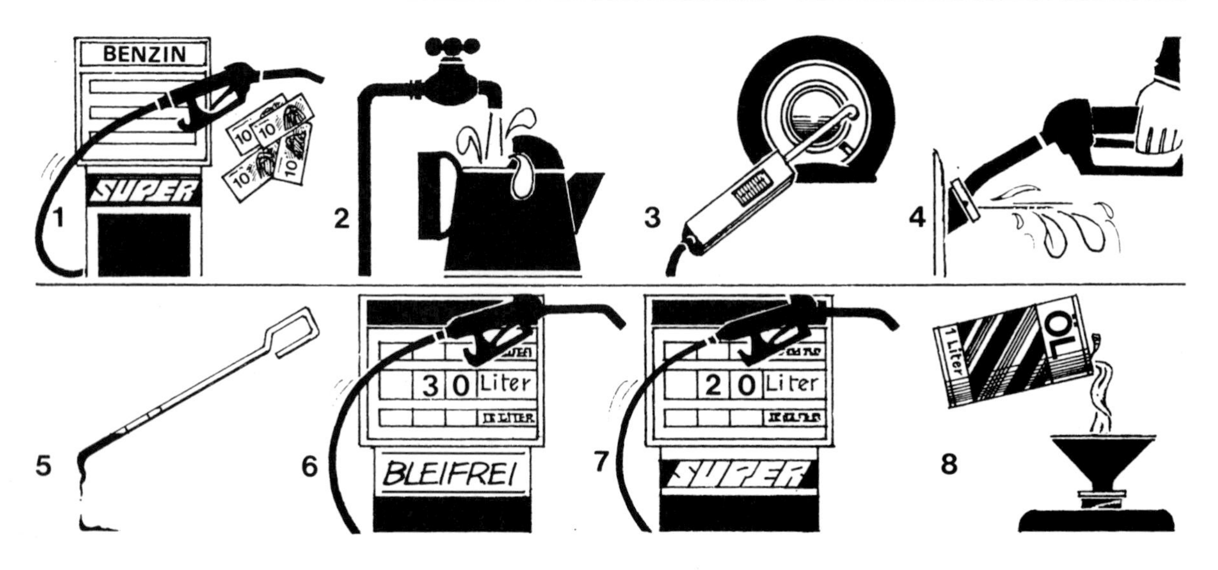

ÜBUNG 2

Was sagen diese Personen?

Mein	Auto Motorrad	ist kaputt. hat kein Benzin mehr.

Ich habe einen Unfall gehabt.

Der Motor Die Batterie	ist	nicht in Ordnung.
Die Lampen Die Bremsen	sind	

Wo ist die nächste Wie komme ich zur nächsten	Tankstelle? Reparatur- werkstatt?

1. Herr Schmidt's car has broken down – it's the battery. He asks where the nearest garage is.
2. Karin says her motorbike's out of petrol. She'd like to know where the nearest petrol station is.
3. Paul's motorbike is out of action: the brakes have failed. He asks how he can get to the nearest garage.

ÜBUNG 3

Was sagen sie jetzt?

Könnten Sie	mir bitte helfen? einen Mechaniker herschicken?	
	mein Auto mein Motorrad	reparieren?
	die Polizei einen Krankenwagen einen Arzt	anrufen.

Mein Auto Mein Motorrad Es	steht	... Kilometer ... Meter	von München. hier.
		in der Mozartstraße. auf der Bundesstraße 5.	

JETZT BIST DU DRAN!

SZENE 30

Du hast kein Benzin mehr!

1. Ask in a shop where the nearest petrol station is.
2. In the petrol station, ask them to fill the tank.
3. When the attendant asks which petrol, say 2-star.

VERKÄUFER Sie wünschen?
DU ... 1 ...?
VERKÄUFER Hier geradeaus, 500 Meter.

An der Tankstelle

DU ... 2 ...
TANKWÄRTIN Super oder Normal?
DU ... 3 ...

SZENE 31

Dein Motorrad ist kaputt!

1. Ask the mechanic if he can mend your bike.
2. Tell him that the engine isn't working.
3. Say it's five kilometres from here.

MECHANIKER Guten Tag! Was kann ich für Sie tun?
DU ... 1 ...?
MECHANIKER Was ist denn los?
DU ... 2 ...
MECHANIKER Wo steht Ihr Motorrad eigentlich?
DU ... 3 ...

Zwei Briefmarken zu einer Mark zwanzig

SZENE 32

Kate und Alan gehen zur Post.

KATE	Ich möchte heute eine Ansichtskarte nach Hause schicken. Aber leider habe ich kein deutsches Geld mehr.
THOMAS	Macht nichts. Wir können zur Sparkasse gehen.
KATE	Wo ist die nächste Sparkasse?
THOMAS	Es gibt eine große Sparkasse in der Stadtmitte, am Brill.

In der Sparkasse

KATE	Ich möchte dieses Geld in D-Mark wechseln.
ANGESTELLTE	Das kann ich machen.
ALAN	Und ich möchte einen Reisescheck einlösen.
ANGESTELLTE	Gern.

Bei der Post

KATE	Guten Tag! Was kostet eine Ansichtskarte nach Großbritannien?
POSTBEAMTER	Eine Mark zwanzig.
KATE	Also, zwei Briefmarken zu einer Mark zwanzig, bitte.
ALAN	Ich möchte nach England telefonieren. Geht das?
POSTBEAMTER	Selbstverständlich. Die Telefonzelle ist dort hinten in der Ecke. Man muß erst 0044 und dann die Nummer wählen.
ALAN	Komm, Kate, laßt uns zu Hause anrufen. Ich möchte Mutti und Vati sprechen.
KATE	Warum nicht? Jetzt haben wir ja Geld genug!

ÜBUNG 1

Was sagen diese Personen? (Ich möchte . . .)

<table>
<tr><td rowspan="3">Ich möchte</td><td>einen Brief
eine Ansichtskarte
ein Paket</td><td>ins Ausland (abroad)
nach Großbritannien
nach Amerika
nach England
nach Frankreich</td><td>schicken.</td></tr>
<tr><td>Jochen
den Arzt
Herrn Schmidt</td><td colspan="2">sprechen.</td></tr>
<tr><td colspan="3">dieses Geld in D-Mark wechseln.
einen Reisescheck einlösen.
nach . . . telefonieren.</td></tr>
</table>

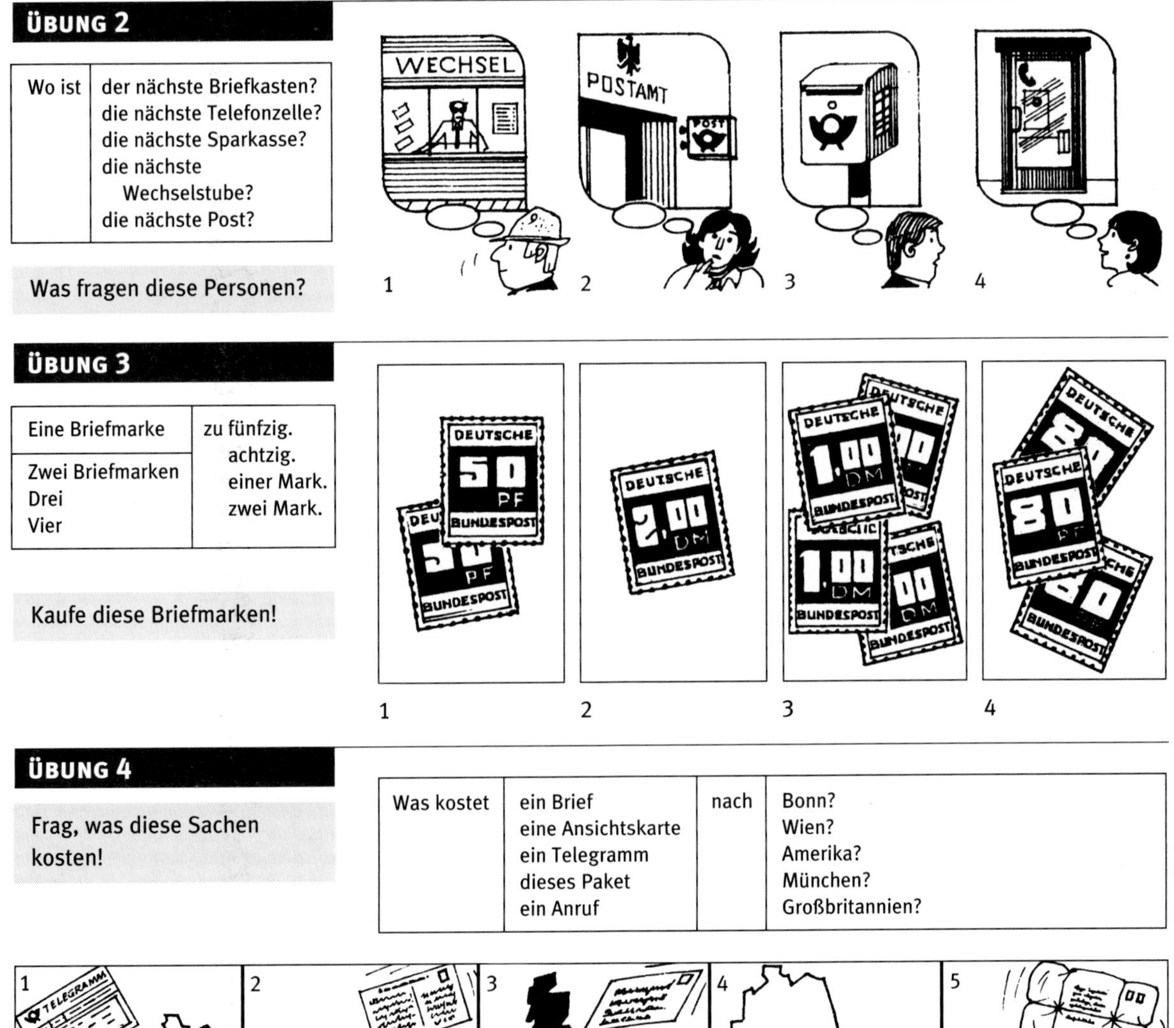

ÜBUNG 2

Wo ist	der nächste Briefkasten? die nächste Telefonzelle? die nächste Sparkasse? die nächste Wechselstube? die nächste Post?

Was fragen diese Personen?

ÜBUNG 3

Eine Briefmarke	zu fünfzig.
Zwei Briefmarken Drei Vier	achtzig. einer Mark. zwei Mark.

Kaufe diese Briefmarken!

ÜBUNG 4

Frag, was diese Sachen kosten!

Was kostet	ein Brief eine Ansichtskarte ein Telegramm dieses Paket ein Anruf	nach	Bonn? Wien? Amerika? München? Großbritannien?

JETZT BIST DU DRAN!

SZENE 33

Du suchst eine Post.

1. Ask the camp warden where the nearest post office is.
2. In the post office, say you'd like to send a letter to America.
3. Ask how much a card to Vienna costs.
4. Buy two one Mark stamps.

PLATZWÄRTIN Kann ich Ihnen behilflich sein?
DU . . . 1 . . .?
PLATZWÄRTIN Ich fahre gleich in die Stadt. Kommen Sie mit!

DU . . . 2 . . .
POSTBEAMTER Das kostet 1,60 DM.
DU . . . 3 . . .?
POSTBEAMTER Eine Mark.
DU . . . 4 . . .
POSTBEAMTER Bitte sehr.

Haben Sie Betten frei?

SZENE 34

Alan, Kate, Brigitte and Thomas kommen in der Jugendherberge in Emden an.

BRIGITTE	Gott sei Dank, hier ist endlich die Jugendherberge.
HERBERGSVATER	Guten Tag! Was kann ich für euch tun?
BRIGITTE	Haben Sie Betten frei für zwei Jungen und zwei Mädchen?
HERBERGSVATER	Es tut mir leid. Die Jugendherberge ist heute ganz voll.
THOMAS	Ach, du Schande! Was können wir denn machen?
HERBERGSVATER	Keine Angst! Wir haben auch einen Campingplatz.
THOMAS	Toll! Also, wir möchten Plätze für zwei Zelte für eine Nacht.
ALAN	Kann man hier in der Jugendherberge essen?
HERBERGSVATER	Ja, das geht.
KATE	Wo ist denn der Speisesaal?
HERBERGSVATER	Hier gleich um die Ecke.

ÜBUNG 1

Bilde Sätze mit „Wo ist . . .?“

Wo ist				?
	der Herbergsvater	der Schlafraum	das Telefon	
	der Spielplatz	der Fahrstuhl (*lift*)	das Geschäft (*shop*)	
	der Waschraum	die Preisliste	mein Schlüssel (*key*)	
	der Platzwart (*camp warden*)	die Anmeldung (*reception*)	der Speisesaal (*dining room*)	

Im Hotel.

1 Preisliste 2 3 4

In der Jugendherberge.

5 6 7 8

Am Campingplatz.

9 10 11 12

ÜBUNG 2

Kann man hier Wo kann man hier	zelten? schlafen? essen? parken? bezahlen?	kochen? duschen? Brot kaufen? Wasser holen?

A. Frag: Kann man hier . . .?

1 2 3 4

B. Frag: Wo kann man hier . . .?

1 2 P 3 4

ÜBUNG 3

Haben Sie	ein Bett Betten einen Platz Plätze ein Einzelzimmer ein Doppelzimmer	frei	für ein Mädchen zwei Mädchen zwei Jungen ein Zelt zwei Zelte einen Wohnwagen mit Bad/Dusche	für eine Nacht? zwei Nächte? eine Woche? zwei Wochen? nächsten Montag? bis Freitag?
Kann ich		reservieren?		

Was fragen diese Personen?

SZENE 35

Am Campingplatz.

1. Ask a camper where the camp warden is.
2. Ask the warden if he has room for a tent for two nights.
3. Enquire where you can buy some bread.

ZELTBEWOHNER Kann ich Ihnen helfen?
DU . . . 1 . . .?
ZELTBEWOHNER Dort drüben, bei der Anmeldung.
DU . . . 2 . . .?
PLATZWART Moment . . . Ja, das ist in Ordnung.
DU . . . 3 . . .?
PLATZWART Wir haben ein kleines Geschäft neben dem Eingang.

SZENE 36

Im Hotel.

1. Ask if they have a room for two for one night.
2. Find out if you can eat here.
3. Ask where your key is.

EMPFANGSDAME Was kann ich für Sie tun?
DU . . . 1 . . .?
EMPFANGSDAME Ja, ein Zimmer haben wir noch. 100 DM pro Nacht.
DU . . . 2 . . .?
EMPFANGSDAME Aber gern. Unser Restaurant ist bis zehn Uhr geöffnet.
DU . . . 3 . . .?
EMPFANGSDAME Hier, Nummer 34.

Es geht mir nicht sehr gut

SZENE 37

Alan hat Magenschmerzen.

THOMAS	Hast du Lust, Tischtennis zu spielen?
ALAN	Nein, heute nicht. Es geht mir nicht sehr gut. Mir ist übel.
THOMAS	Was hast du denn?
ALAN	Ich habe Magenschmerzen. Ich glaube, sie kommen von den Pflaumen, die ich gestern gegessen habe.
THOMAS	Ich rufe den Arzt an.
ALAN	Ach nein, so schlimm ist es nicht. Aber ich möchte eine Tablette nehmen, wenn es geht. Hast du etwas gegen Magenschmerzen?
THOMAS	Moment, ich schaue nach. Was haben wir hier? „Biointestin – gegen Magenschmerzen".
ALAN	Genau richtig! Vielen Dank!

ÜBUNG 1

Was sagen diese Personen?

Ich bin	krank. müde. durstig.
Mir ist	heiß. kalt. übel (*sick*).

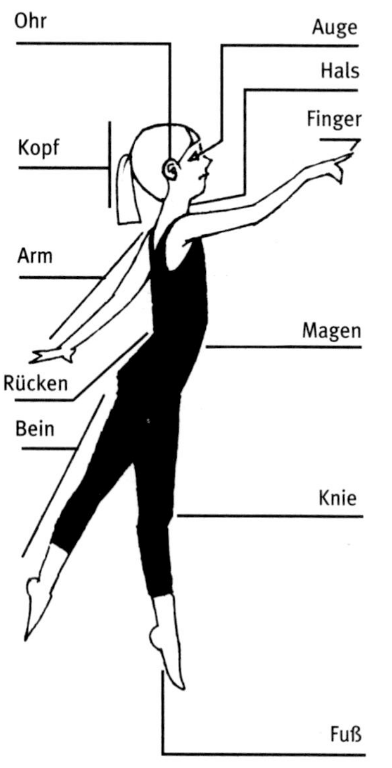

ÜBUNG 2

Was sagen diese Personen?

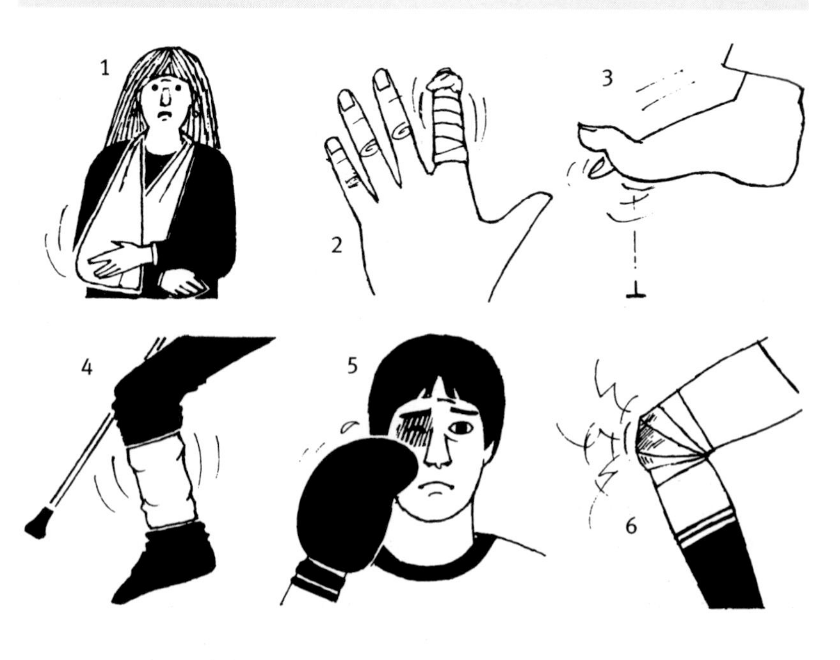

ÜBUNG 3

Ich habe Haben Sie etwas gegen	Kopfschmerzen. Ohrenschmerzen. Halsschmerzen. Magenschmerzen. Zahnschmerzen (*toothache*). Rückenschmerzen (*backache*). Fieber (*a temperature*). Husten (*a cough*). Schnupfen (*a cold*). Sonnenbrand (*sunburn*). Durchfall (*diarrhoea*). Verstopfung (*constipation*). eine Grippe (*flu*).

A. Sag, was du hast!

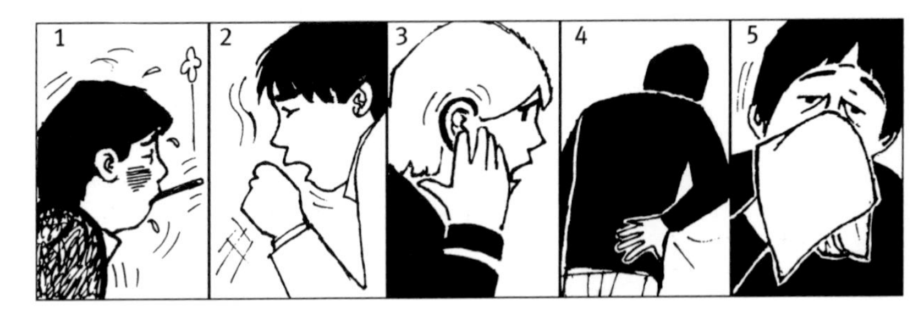

B. Frag in der Apotheke nach. (Haben Sie . . .?)

ÜBUNG 4

Finde die deutschen Wörter!
Was ist das Lösungswort(↓)?

1. I'm tired.
2. I'm hot.
3. I have a headache.
4. I'm thirsty.
5. I don't feel very well.
6. My leg hurts.
7. I'm ill.
8. I've got a temperature.
9. I feel sick.
10. My eye hurts.

JETZT BIST DU DRAN!

SZENE 38

Du bleibst heute im Bett.

1. Say that you don't feel very well. You feel hot and tired.
2. Say you've got a headache and a sore throat.
3. Ask if she has anything for a cold.

FRAU WAGNER	Also, wie geht es dir?
DU	. . . 1 . . .
FRAU WAGNER	Was ist denn los?
DU	. . . 2 . . .
FRAU WAGNER	Vielleicht hast du Grippe oder Schnupfen.
DU	. . . 3 . . .?
FRAU WAGNER	Ich bringe dir gleich Aspirintabletten.

Kommst du mit?

SZENE 39

Harald ruft Kate an.

KATE	Bei Kern!
HARALD	Kate, ich gehe am Freitagabend tanzen. Kommst du mit?
KATE	Ja, ich komme gern mit, aber ich muss erstmal Frau Kern fragen.
HARALD	Ach, das ist kein Problem. Thomas Kern ist doch mein Freund.
KATE	Wo treffen wir uns?
HARALD	Treffen wir uns um acht Uhr vor der Disco.
KATE	Super! Ich freue mich darauf.
HARALD	Also, bis morgen abend.
KATE	Bis dann! Auf Wiederhören!

ÜBUNG 1

Was antworten diese Personen?

Kommst du mit?	Ja, ich komme gern mit.	
	Nein,	leider kann ich nicht kommen. dazu habe ich keine Lust.

ÜBUNG 2

Mach Dialoge mit deinem Partner/deiner Partnerin!

Ich gehe	tanzen. schwimmen. angeln. in die Kneipe. ins Kino. ins Theater. in den Klub. zum Fußballspiel. ins Konzert. aufs Land. zu einer Party.
Ich mache	eine Radtour. einen Spaziergang. ein Picknick.

Treffen wir uns	vor der Disco. vor dem Freibad. am Fluß (*river*). in der Kneipe. vor dem Kino. vor dem Theater. vor dem Klub. vor dem Stadion. in der Mozartstraße. am Bahnhof. bei Peter. in der Stadtmitte. an der Bushaltestelle. bei mir.

ÜBUNG 3

Mach Dialoge mit deinem Partner/deiner Partnerin!

Ich gehe mache	heute heute abend morgen am Montag am Dienstag am Mittwoch am Donnerstag am Freitag am Samstag am Sonntag	...	Wann treffen wir uns?

Um (*at*) Gegen (*at about*)	... Uhr.		
	... Uhr	vormittags. nachmittags. abends.	
	halb ...		
	viertel fünf zehn zwanzig	vor nach	...

1 2 3 4 5 6

ÜBUNG 4

Beantworte die Fragen!

Ich freue mich darauf. Bis	morgen! später! heute abend! nächste Woche!	Montag! Freitagabend! Samstagmorgen!

1. Kommst du am Samstagvormittag mit in die Stadt?
2. Nicht vergessen! Wir gehen morgen reiten.
3. Vergiß nicht, dass wir nächste Woche nach Borkum fahren.
4. Ich hole dich in zwei Stunden zur Party ab.
5. Ich habe Karten fürs Konzert am Freitagabend.
6. Kommst du am Montag mit zum Pferderennen?

ÜBUNG 5

Mach eine Konversation mit deinem Partner/deiner Partnerin.

Beispiel

DU Guten Tag! Ich gehe . . . Kommst du mit?
DEIN FREUND Ja, ich komme gern mit. Wann treffen wir uns?
DU Treffen wir uns . . .
DEIN FREUND Ja, und wo treffen wir uns?
DU Treffen wir uns . . .
DEIN FREUND (*Wiederhole den TAG, die ZEIT und den ORT*) Super! . . .

1	2	3	4
Wohin?	Montag Dienstag Mittwoch Donnerstag Freitag Samstag Sonntag	?	Treffpunkt? Wo...?

SZENE 40

Du machst eine Wanderung.

1. Say you'd like to come, and ask when you'll meet.
2. Then ask when you'll meet.
3. Tell her you're looking forward to it, and say 'See you Saturday'.

BARBARA Wir machen am Samstag eine Wanderung. Hast du Lust mitzukommen?
DU . . . 1 . . .?
BARBARA Um acht Uhr vormittags.
DU . . . 2 . . .?
BARBARA Auf dem Schulhof.
DU . . . 3 . . .
BARBARA Gut! Bis dann!

SZENE 41

Du gehst mit Ernst schwimmen.

1. Say you're going swimming this afternoon, and ask if he'd like to come.
2. Suggest that you meet at 3 o'clock outside the swimming pool.
3. Say goodbye and 'See you later'.

ERNST Was machst du heute?
DU . . . 1 . . .?
ERNST Ja, gerne. Wo wollen wir uns treffen?
DU . . . 2 . . .
ERNST Ich freue mich darauf. Auf Wiedersehen!
DU . . . 3 . . .

Ich habe ein Problem

SZENE 42

Thomas, Kate und Alan sind am Strand.

KATE	Mensch, Thomas, pass doch auf! Ich bin ganz nass!
THOMAS	Oh, Verzeihung, Kate. Das tut mir leid. Ach, ich habe mein Handtuch zu Hause vergessen. Hast du ein Handtuch?
KATE	Ja, in meiner Tasche. Aber wo ist denn meine Tasche? Hilfe!
THOMAS	Ich weiß es nicht. Frag doch die Dame da, ob sie deine Tasche gesehen hat.
KATE	Oh, ich habe Angst. Ich spreche nur ein bisschen Deutsch. Wie sagt man *lost* auf Deutsch?
THOMAS	„Verloren“.
KATE	Also . . . Entschuldigen Sie bitte, ich habe ein Problem. Ich habe meine Tasche hier am Strand verloren. Haben Sie sie gesehen?
DAME	Wie bitte? Können Sie das bitte wiederholen? Sie sagen, Sie haben Ihre Tasche verloren?
KATE	Ja, sie ist groß und braun und aus Nylon.
DAME	Oh Gott! Der Junge hat sie!
KATE	Ich verstehe nicht. Was bedeutet Junge? Sprechen Sie bitte langsamer!
DAME	Mein kleiner Sohn hat sie genommen. Jetzt ist sie ganz voll Sand.
THOMAS	Jetzt kommt endlich Brigitte. Wo warst du denn? Wir haben Probleme gehabt.
BRIGITTE	Ich auch. Ich habe mein Geld vergessen, und ich habe den Bus verpasst.
THOMAS	Heute ist ja Freitag, der dreizehnte!

ÜBUNG 1

1	2	3	4
Entschuldigen Sie bitte!	Oh! Verzeihung!	Das tut mir leid.	Wie bitte?
Excuse me (for interrupting)	Sorry; pardon (for what I've done)	Sorry (about your misfortune)	Pardon? (What did you say?)

Wer sagt was?

1. You approach a lady in the street to ask her the way.
2. You didn't understand her when she told you.
3. A friend phones to say he's ill and can't come out.
4. You've bumped into somebody by mistake.
5. Your hostess is busy, but you need to ask her for something.
6. You've just arrived very late and you must appologise.

ÜBUNG 2

Bilde Sätze!

1. You're frightened:	Ich habe	verstehe nicht.
2. You've got a problem:	Ich habe	Angst.
3. You don't know:	Ich weiß	auf Deutsch?
4. You're asking, 'What's that?':	Was ist	es nicht.
5. You don't understand:	Ich	denn das?
6. You're asking what *lost* is in German:	Wie sagt man *lost*	ein Problem.
7. Get someone to repeat something:	Können Sie das	„Trottel“?
8. Ask what something means:	Was bedeutet	bitte wiederholen?

ÜBUNG 3

Was sagen diese Personen?

Ich habe	mein Geld mein Handtuch meine Tasche meine Fahrkarte meinen Pass meinen Schlüssel meine Hausaufgabe	zu Hause am Strand im Hotel im Café im Zug im Restaurant	vergessen. verloren.

Thomas hat etwas vergessen . . .

1 2 HOTEL 3 RESTAURANT

Kate hat etwas verloren . . .

4 5 6 CAFÉ

ÜBUNG 4

Brigitte hat etwas verpasst!

Ich habe	den Zug/den Bus/die Straßenbahn/die U-Bahn	verpasst.

1 2 3 BAHNHOF 4

ÜBUNG 5

Ich habe	mein Portemonnaie meine Uhr meinen Koffer meinen Ring meinen Regenmantel	verloren.

Es Sie Er	ist	groß und braun klein schwarz neu rot alt blau schön weiß	und aus Nylon. Leder. Gold. Silber.

Was haben diese Personen verloren?
Beschreibe die Artikel:

1	2	3	4	5
braun	Gold	Silber	Nylon blau/weiss	schwarz/rot

ÜBUNG 6

Sprechen Sie Deutsch? Englisch? Französisch?	Ja, ich spreche ich spreche ein bisschen	Deutsch. Englisch. Französisch.
	Nein, ich spreche nur ein bisschen ich spreche kein	

John kommt aus Amerika. Er kann gut Deutsch aber nicht so gut Französisch.

Sven kommt aus Dänemark. Er kann kein Englisch, ein bisschen Französisch und gut Deutsch.

JETZT BIST DU DRAN!

SZENE 43

Du besuchst die Familie Meyer aber du kommst zu spät an.

1. Apologise, and say that you missed the train.
2. Say you speak German a little.
3. Tell them you've got a problem: you've left your money at home.

HERR MEYER	Da sind Sie endlich! Willkommen in Deutschland!
DU	. . . 1 . . .
HERR MEYER	Sie sprechen aber sehr gut Deutsch!
DU	Ja, . . . 2 . . .
HERR MEYER	Wie geht es Ihnen?
DU	. . . 3 . . .
HERR MEYER	Das macht nichts. Wir können Ihnen helfen.

SZENE 44

Du hast dein Portemonnaie verloren.

1. Ask the man if he speaks English.
2. Say that you've lost your purse on the train.
3. When he asks what it looks like, say small and old and made of leather.

ANGESTELLTER	Kann ich Ihnen behilflich sein?
DU	. . . 1 . . .?
ANGESTELLTER	Leider nicht.
DU	. . . 2 . . .
ANGESTELLTER	Wie sieht es aus?
DU	. . . 3 . . .
ANGESTELLTER	Es tut mir leid. Wir haben es hier nicht. Vielleicht morgen.

Zugabe!

SZENE 45 Revise: Wann fährt der Zug ab? (pp. 28–29)

Du bist am Hauptbahnhof in Leipzig.

	ANGESTELLTE(R)	Guten Tag! Bitte schön?
1. Ask what time the train for Dresden leaves.	DU	...1...?
	ANGESTELLTE(R)	Um 11.20 Uhr.
2. Ask what time the train arrives at Dresden.	DU	...2...?
	ANGESTELLTE(R)	Um viertel nach drei.
3. Ask if you have to change trains.	DU	...3...?
	ANGESTELLTE(R)	Nein, nein.
4. Ask which platform the train leaves from.	DU	...4...?

SZENE 46

Am Bahnhof
Du willst eine Reise mit dem Zug machen. Wohin? Wann? Du darfst wählen!

	ANGESTELLTE(R)	Guten Morgen!
1. Sag, wohin du fährst!	DU	...1...
	ANGESTELLTE(R)	Wann wollen Sie fahren?
2. Beantworte die Frage!	DU	...2...
	ANGESTELLTE(R)	In Ordnung.
3. Frag, wann der nächste Zug fährt!	DU	...3...?
	ANGESTELLTE(R)	Um 10.20 Uhr.
4. Frag, wann der Zug ankommt!	DU	...4...?

SZENE 47 Revise: Ist das der Zug nach Bremen? (pp. 30–31)

Du bist am Bahnhof in Nordenham.

	ANGESTELLTE(R)	Kann ich Ihnen helfen?
1. Ask for two return tickets to Wilhelmshaven.	DU	...1...
	ANGESTELLTE(R)	Bitte schön. 39 DM.
2. Ask if this is the train for Wilhelmshaven.	DU	...2...?
	ANGESTELLTE(R)	Jawohl.
		***
3. Ask if this seat is free.	DU	...3...?
	PASSAGIER	Nein, leider nicht.
4. Ask if this seat is reserved.	DU	...4...?
	PASSAGIER	Nein, hier ist frei.

SZENE 48

Am Bahnhof
Du willst nach Mannheim fahren.

	ANGESTELLTE(R)	Bitte schön?
1. Bestell eine Karte!	DU	. . . 1 . . .
	ANGESTELLTE(R)	Einfach oder hin und zurück?
2. Beantworte die Frage!	DU	. . . 2 . . .
		***
	PASSAGIER	Haben Sie Schwierigkeiten?
3. Frag, ob der Zug richtig ist!	DU	. . . 3 . . .?
	PASSAGIER	Jawohl.
4. Frag, ob der Platz frei ist!	DU	. . . 4 . . .

SZENE 49 Revise: Es freut mich, Sie kennenzulernen (pp. 32–33)

Du kommst bei deiner Austauschpartnerin in Deutschland an.

	SUSANNE	Darf ich vorstellen? Hier ist meine Mutter.
1. Say how pleased you are to meet her.	DU	. . . 1 . . .
	MUTTER	Angenehm! Was hast du denn da?
2. Offer her some flowers.	DU	. . . 2 . . .
	MUTTER	Wie nett! Danke schön!
3. Say 'Don't mention it'.	DU	. . . 3 . . .
	MUTTER	Na, was willst du gleich machen?
4. Ask if you can have a shower.	DU	. . . 4 . . .

SZENE 50

Bei Familie Schultz.

	FRAU SCHULTZ	Herzlich willkommen!
1. Stell deinen Bruder Peter vor!	DU	. . . 1 . . .
	FRAU SCHULTZ	Angenehm!
2. Biete Frau Schultz Blumen an!	DU	. . . 2 . . .
	FRAU SCHULTZ	Oh, danke schön!
3. Reagiere!	DU	. . . 3 . . .
	FRAU SCHULTZ	Was willst du jetzt machen?
4. Frag, ob du deine Eltern anrufen darfst!	DU	. . . 4 . . .?

SZENE 51 Revise: Das schmeckt gut! (pp. 34–35)

Du bist bei Familie Krüger zum Essen eingeladen.

	FRAU KRÜGER	Gibt es etwas, was du nicht magst?
1. Say that you don't like fish.	DU	. . . 1 . . .
	FRAU KRÜGER	Und was trinkst du gern?
2. Say that you like drinking Coke.	DU	. . . 2 . . .
	FRAU KRÜGER	Möchtest du noch Cola?
3. Ask for just a little.	DU	. . . 3 . . .
	FRAU KRÜGER	Noch etwas Kartoffelpuree?
4. Say 'No thanks' and tell her that you're full up.	DU	. . . 4 . . .

SZENE 52

Bei Familie Brinkmann.

	HERR BRINKMANN	Isst du gern Blutwurst?
1. Beantworte die Frage!	DU	. . . 1 . . .
	HERR BRINKMANN	Trinkst du lieber Alkohol oder Saft?
2. Beantworte die Frage!	DU	. . . 2 . . .
	HERR BRINKMANN	Wie schmeckt das Essen?
3. Beantworte die Frage!	DU	. . . 3 . . .
	HERR BRINKMANN	Möchtest du noch mehr?
4. Beantworte die Frage!	DU	. . . 4 . . .

SZENE 53 Revise: Ich möchte gern Leberwurst (pp. 36–37)

Du kaufst am Markt ein.

	VERKÄUFER(IN)	Bitte schön?
1. Ask if they have any cherries.	DU	. . . 1 . . .?
	VERKÄUFER(IN)	Jawohl!
2. Say that you would like 500 grams of cherries.	DU	. . . 2 . . .
	VERKÄUFER(IN)	Sonst noch etwas?
3. Ask how much the ham is.	DU	. . . 3 . . .?
	VERKÄUFER(IN)	13 DM das Kilo.
4. Say that you would like five slices of ham.	DU	. . . 4 . . .

SZENE 54

Am Markt.

	VERKÄUFER(IN)	Bitte schön?
1. Kaufe zwei Obstsorten!	DU	. . . 1 . . .
	VERKÄUFER(IN)	Wieviel denn?
2. Beantworte die Frage!	DU	. . . 2 . . .
	VERKÄUFER(IN)	Sonst noch etwas?
3. Finde den Preis von der Salami heraus!	DU	. . . 3 . . .?
	VERKÄUFER(IN)	13 DM das Kilo.
4. Kaufe Salami, soviel du willst!	DU	. . . 4 . . .

SZENE 55 Revise: Wo haben Sie T-Shirts? (pp. 38–39)

Du bist bei Karstadt.

	VERKÄUFER(IN)	Bitte schön?
1. Ask where they have pens.	DU	. . . 1 . . .?
	VERKÄUFER(IN)	In der Schreibwarenabteilung.
2. Ask where the stationary department is.	DU	. . . 2 . . .?
	VERKÄUFER(IN)	Im Erdgeschoss.
		***
	VERKÄUFER(IN)	Diese Marke ist sehr gut.
3. Say that it is too expensive and ask if they have anything cheaper.	DU	. . . 3 . . .?
	VERKÄUFER(IN)	Vielleicht in der Kinderabteilung.
4. Ask where the children's department is.	DU	. . . 4 . . .?

SZENE 56

Im Kaufhaus. Du willst etwas kaufen. Was?

	VERKÄUFER(IN)	Kann ich Ihnen helfen?
1. Frag, wo die richtige Abteilung ist!	DU	. . . 1 . . .?
	VERKÄUFER(IN)	Im ersten Stock.
2. Sag, was du suchst!	DU	. . . 2 . . .
	VERKÄUFER(IN)	Das hier ist sehr schön.
3. Der Preis ist zu hoch!	DU	. . . 3 . . .!
	VERKÄUFER(IN)	Hmm . . . Das hier, vielleicht?
4. Reagiere!	DU	. . . 4 . . .

SZENE 57 Revise: Wie komme ich am besten dahin? (pp. 40–43)

Du hast dich in der Stadt verlaufen.

1. Ask if there is a hotel near here.	DU	. . . 1 . . .?
	PASSANT(IN)	Ja, der „Reiterhof" ist nicht weit vom Bahnhof.
2. Ask which is the best way to the station.	DU	. . . 2 . . .?
	PASSANT(IN)	Ach, hier immer geradeaus.
3. Ask if it is far from here.	DU	. . . 3 . . .?
	PASSANT(IN)	Na ja, vielleicht fünfzehn Minuten.
4. Ask if you can take the tram to get there.	DU	. . . 4 . . .?

SZENE 58

In Hamburg. Was ist dein Ziel (*destination*)?

	PASSANT(IN)	Haben Sie Probleme?
1. Finde heraus, ob dein Ziel hier in der Nähe ist!	DU	. . . 1 . . .
	PASSANT(IN)	Nein, eigentlich nicht.
2. Frag, wie weit es ist!	DU	. . . 2 . . .?
	PASSANT(IN)	Na ja, ziemlich weit schon.
3. Frag, wie du dahinkommst!	DU	. . . 3 . . .?
	PASSANT(IN)	Am besten mit der U-Bahn.
4. Frag, wo du die U-Bahn nehmen kannst!	DU	. . . 4 . . .?

SZENE 59 Revise: Haben Sie einen Stadtplan? (pp. 44–45)

Du bist bei der Tourist-Info in Hameln.

	FRAU	Bitte schön?
1. Ask if she has a street map of Hameln.	DU	. . . 1 . . .?
	FRAU	Selbstverständlich. Dieser hier ist kostenlos.
2. Ask what there is to do if it rains.	DU	. . . 2 . . .?
	FRAU	Sie können das Rattenfängermuseum besichtigen.
3. Ask what time the museum opens.	DU	. . . 3 . . .?
	FRAU	Um neun Uhr.
4. Also ask if you can visit the cathedral.	DU	. . . 4 . . .?

SZENE 60

Beim Verkehrsverein. Was ist dein Ziel (*destination*)?

	ANGESTELLTE(R)	Willkommen in Weimar!
1. Frag, was es zu tun gibt!	DU	...1...?
	ANGESTELLTE(R)	Ganz schön viel!
2. Sag, was du machen möchtest!	DU	...2...
	ANGESTELLTE(R)	Okay, kein Problem.
3. Frag, wann dein Ziel aufmacht!	DU	...3...?
	ANGESTELLTE(R)	Um 9.30 Uhr. Möchten Sie einen Stadtplan oder so etwas?
4. Reagiere!	DU	...4...

SZENE 61 Revise: Ich nehme eine Currywurst (pp. 46–48)

Du gehst mit Frank zum Imbiss.

	FRANK	Möchtest du Giros?
1. Ask what 'Giros' are.	DU	...1...?
	FRANK	Fleisch mit Pittabrot.
2. Say 'No thank you' and say you'll have fried sausage and chips and an apple juice.	DU	...2...
	FRANK	Und ich nehme eine Bockwurst.
		***
	KELLNER(IN)	Sonst noch etwas?
3. Ask what ice creams they have.	DU	...3...?
	KELLNER(IN)	Vanille und Erdbeer.
4. Say that you will have a strawberry ice cream. Ask how much it comes to and ask for the bill.	DU	...4...!

SZENE 62

Beim Imbiss.

	SONJA	Möchtest du Eisbein?
1. Frag, was das ist!	DU	...1...?
	SONJA	Schweinsfuß!
2. Nein... Bestell etwas zu trinken und zu essen!	DU	...2...
	SONJA	Alles klar!
3. Bestell noch etwas!	DU	...3...
	SONJA	Mensch, du bist aber hungrig!
4. Frag, was alles kostet!	DU	...4...
	SONJA	Ganz schön viel!

SZENE 63 Revise: Wann beginnt der Film? (p. 49)

Du willst heute ins Kino gehen.

	ANGESTELLTE(R)	Guten Tag!
1. Ask what film is on at the cinema.	DU	. . . 1 . . .?
	ANGESTELLTE(R)	Ein Liebesfilm.
2. Ask what time the film starts.	DU	. . . 2 . . .?
	ANGESTELLTE(R)	Um acht Uhr.
3. Ask how much a ticket costs.	DU	. . . 3 . . .?
	ANGESTELLTE(R)	11 DM.
4. Ask for one ticket to see . . .	DU	. . . 4 . . .

SZENE 64

Vor dem Kino.

	ANGESTELLTE(R)	Guten Abend!
1. Finde heraus, was für Filme es heute gibt!	DU	. . . 1 . . .?
	ANGESTELLTE(R)	Ein Sexfilm, ein Krimi und ein James Bond Film.
2. Wähle einen Film!	DU	. . . 2 . . .
	ANGESTELLTE(R)	Okay. Wieviele Karten möchten Sie, und für wann?
3. Beantworte die Fragen!	DU	. . . 3 . . .
	ANGESTELLTE(R)	Bitte schön.
4. Frag, wann der Film beginnt und endet!	DU	. . . 4 . . .?

SZENE 65 Revise: Volltanken, bitte! (pp. 50–51)

Du hast einen Unfall gehabt.

	MECHANIKER	Haben Sie Schwierigkeiten?
1. Say 'Yes' and explain that you have had a crash.	DU	. . . 1 . . .
	MECHANIKER	Oha! Haben Sie sich verletzt?
2. Say 'Yes' and ask where the nearest hospital is.	DU	. . . 2 . . .?
	MECHANIKER	Ganz weit weg!
3. Ask the mechanic if can phone for an ambulance.	DU	. . . 3 . . .?
	MECHANIKER	Wo sind Sie?
4. Explain that you are on the B35, 13 km from Neustadt.	DU	. . . 4 . . .

SZENE 66

An der Tankstelle.

	ANGESTELLTE(R)	Sie wünschen, bitte?
1. Kaufe Benzin!	DU	. . . 1 . . .
	ANGESTELLTE(R)	Sonst noch einen Wunsch?
2. Kaufe noch etwas!	DU	. . . 2 . . .
	ANGESTELLTE(R)	Bitte schön.
3. Es gibt ein Problem mit dem Auto. Beschreibe das Problem!	DU	. . . 3 . . .
	ANGESTELLTE(R)	Tut mir leid. Hier haben wir keine Werkstatt.
4. Reagiere!	DU	. . . 4 . . .

SZENE 67 Revise: Zwei Briefmarken zu einer Mark zwanzig (pp. 52–53)

Du willst Briefe nach Hause schicken.

1. Ask where the nearest post office is.	DU	. . . 1 . . .?
	PASSANT(IN)	In der Meyerstraße.
		***
2. Say 'Good morning' and explain that you would like to send a letter to England.	DU	. . . 2 . . .
	POSTBEAMTE(R)	Kein Problem.
3. Ask how much a letter to England costs.	DU	. . . 3 . . .?
	POSTBEAMTE(R)	Eine Mark fünfzig.
4. Buy four 1,50 DM stamps.	DU	. . . 4 . . .

SZENE 68

Bei der Post.

	POSTBEAMTER	Wer bekommt?
1. Sag, was du schicken möchtest und wohin!	DU	. . . 1 . . .
	POSTBEAMTER	In Ordnung.
2. Finde die Preise heraus!	DU	. . . 2 . . .?
	POSTBEAMTER	Ja, Moment mal, bitte . . .
3. Kaufe die Briefmarken!	DU	. . . 3 . . .
	POSTBEAMTER	Bitte schön.
4. Du willst auch telefonieren. Stell eine Frage!	DU	. . . 4 . . .?

SZENE 69 Revise: Haben Sie Betten frei? (pp. 54–55)

Im Hotel Bellevue.

1. Ask where the hotel reception is.	DU	. . . 1 . . .?
	GAST	Dort drüben!
		***
	EMPFANGSPERSON	Bitte?
2. Say that you have reserved a single room with a shower for one night.	DU	. . . 2 . . .
	EMPFANGSPERSON	Ja, Zimmer 13 im ersten Stock.
3. Ask whether you can eat here.	DU	. . . 3 . . .?
	EMPFANGSPERSON	Selbstverständlich.
4. Ask if you can pay now.	DU	. . . 4 . . .?

SZENE 70

Im Hotel.

	EMPFANGSPERSON	Guten Tag!
1. Bestell ein Zimmer!	DU	. . . 1 . . .
	EMPFANGSPERSON	Für wie viele Personen?
2. Beantworte die Frage!	DU	. . . 2 . . .
	EMPFANGSPERSON	Wielange bleiben Sie?
3. Beantworte die Frage!	DU	. . . 3 . . .
	EMPFANGSPERSON	Hier ist Ihr Schlüssel.
4. Du willst essen. Stell eine Frage!	DU	. . . 4 . . .?

SZENE 71 Revise: Es geht mir nicht sehr gut (pp. 56–57)

Du bist beim Arzt.

	ARZT	Was haben Sie denn?
1. Say that you don't feel well.	DU	. . . 1 . . .
	ARZT	Was für Symptome haben Sie?
2. Say that you have got a headache and a temperature.	DU	. . . 2 . . .
	ARZT	Ist das alles?
3. Say 'No' and explain that you feel tired.	DU	. . . 3 . . .
	ARZT	Oha, das ist wohl eine Grippe.
4. Ask if he has anything for flu.	DU	. . . 4 . . .?

SZENE 72

Bei Familie Müller.

	FRAU MÜLLER	Na, wie geht's?
1. Sag, wie es dir geht.	DU	... 1 ...
	FRAU MÜLLER	Oha!
2. Beschreibe deine Symptome!	DU	... 2 ...
	FRAU MÜLLER	Mensch!
3. Beschreibe andere Symptome!	DU	... 3 ...
	FRAU MÜLLER	Wie schrecklich!
4. Frag, ob Frau Müller ein Medikament hat!	DU	... 4 ...?

SZENE 73 Revise: Kommst du mit? (pp. 58–60)

Andreas lädt dich ein.

	ANDREAS	Kommst du mit zum Sportzentrum?
1. Say that you would like to come.	DU	... 1 ...
	ANDREAS	Toll!
2. Ask when you will meet.	DU	... 2 ...?
	ANDREAS	Um halb sechs.
3. Ask where you will meet.	DU	... 3 ...
	ANDREAS	Am Markt.
4. Say 'See you later'.	DU	... 4 ...

SZENE 74

Am Telefon.

	ROBERT	Kommst du mit ins Kino?
1. Reagiere! (✗).	DU	... 1 ...
	ROBERT	Okay, wie wär's mit Schlittschuhlaufen?
2. Reagiere! (✔).	DU	... 2 ...
	ROBERT	Wo treffen wir uns?
3. Beantworte die Frage!	DU	... 3 ...
	ROBERT	Und wann?
4. Beantworte die Frage!	DU	... 4 ...

SZENE 75 Revise: Ich habe ein Problem (pp. 61–63)

Du hast deinen Schlüssel verloren.

1. Attract the attention of a passer-by.	DU	...1...
	PASSANT(IN)	Ja?
2. Ask the passer-by if he/she speaks English.	DU	...2...?
	PASSANT(IN)	Leider nicht. Haben Sie Schwierigkeiten?
3. Say 'Yes' and explain that you have lost your key.	DU	...3...
	PASSANT(IN)	Wissen Sie wo?
4. Explain that you don't know.	DU	...4...

SZENE 76

Ärger mit deinem Lehrer/deiner Lehrerin.

	LEHRER(IN)	Du hast Verspätung! Es ist neun Uhr!
1. Reagiere!	DU	...1...
	LEHRER(IN)	Warum kommst du so spät?
2. Erkläre!	DU	...2...
	LEHRER(IN)	Und wo ist deine Hausaufgabe?
3. Erkläre!	DU	...3...
	LEHRER(IN)	Das ist aber nicht gut!
4. Reagiere!	DU	...4...

Make a phrase book

TRAVELLING (1): *page* 28
RESERVATIONS AND ENQUIRIES

1 We are going to Bremen next month.
2 When does the ferry go?
3 We'd like to reserve two reclining seats.
4 When does the next train for Bremen go?
5 From which platform?
6 And when does it arrive in Bremen?
7 Do I have to change?

TRAVELLING (2): *page* 30
BUYING TICKETS; BOARDING THE TRAIN

8 A single ticket to Bremen.
9 Two return tickets for Bremen.
10 Is this the train to Bonn?
11 Is this the tram for the station?
12 Excuse me, is this seat free?
13 Sorry, it's taken.

STAYING WITH A GERMAN-SPEAKING FAMILY (1): *page* 32
SETTLING IN

14 Hello.
15 Pleased to meet you.
16 How are you?
17 Can I introduce . . .?
18 Fine, thanks.
19 How pretty!
20 May I have a shower before we eat?
21 Here is a little present for you.
22 That *is* nice!
23 Thank you very much.
24 Don't mention it.

STAYING WITH A GERMAN-SPEAKING FAMILY (2): *page* 34
MEALS

25 I don't like gherkins much.
26 I'd rather eat a slice of bread.
27 I like cheese.
28 Just a little.
29 I don't like beer much.
30 I'd rather drink a glass of mineral water.
31 I like beer.
32 That tastes good!
33 No thanks, I'm full up.
34 The meal tasted very good.

SHOPPING (1): *page* 36
BUYING FOOD

35 That's all, thank you.
36 Please can I have 250 grams of liver sausage.
37 I'd like some ham as well.
38 I'll take six slices.
39 How much is that all together?
40 I'd like a pound of tomatoes.
41 Have you any peaches as well?
42 How much are the grapes?
43 How much is a kilo of potatoes?
44 a packet of tea
45 a piece of cake
46 half a kilo of apples
47 half a pound of pears
48 a tin of grapefruit
49 a jar of honey
50 a bottle of lemonade
51 a carton of milk

SHOPPING (2): *page* 38
IN A DEPARTMENT STORE

52 Where do you have men's T-shirts?
53 Where is the men's department?
54 That's too big.
55 Have you anything smaller?

GETTING AROUND THE TOWN *page* 40

56 Is there a swimming pool round here?
57 Is it far from here?
58 Can I walk there?
59 How do I get there?
60 Excuse me, where is the nearest bus stop?
61 I'm going in the 'Brill' direction.
62 Where is there a post office round here?
63 How do I get to the church?
64 How do I get to the station?
65 How do I get to Bremen?
66 Can I go by bus?

ASKING FOR INFORMATION IN THE TOURIST OFFICE *page* 44

67 Have you got a street map and a leaflet about the town?
68 What is there to see of interest?
69 I'd like to go on a tour of the docks.
70 Can I also visit the cathedral?
71 When can I visit the museum?
72 When does it open/shut?

EATING OUT *page* 46

73 I'd like a meatball with potato salad.
74 I'll have a curried sausage and chips.
75 What drinks have you got?

76 What's that?
77 How much does that come to?
78 Another cup of coffee.
79 Can I pay?

GOING TO A SHOW *page* 49

80 I'd like to sit at the front.
81 When does the film begin?
82 When does the play end?
83 One seat in the centre, please.
84 Five tickets for tomorrow, please.

GOING BY ROAD *page* 50

85 Fill the tank please.
86 30 litres of unleaded petrol, please.
87 40 Marks' worth of 4-star petrol, please.
88 Check the oil please.
89 My car has broken down.
90 My motorbike is out of petrol.
91 The engine isn't working.
92 The brakes aren't working.
93 Where is the nearest petrol station?
94 How do I get to the nearest repairs garage?
95 I've had an accident
96 Could you please help me?
97 Could you send a mechanic?
98 My car is 3 km from here.
99 Could you ring the police/an ambulance/ the doctor?
100 My motorbike is in Mozart Street.

IN THE POST OFFICE AND BANK *page* 52

101 I'd like to send a letter abroad.
102 I'd like to speak to Jochen.
103 I'd like to change this money into Marks.
104 I'd like to cash a traveller's cheque.
105 I'd like to call New York.
106 Where is the nearest post box?
107 One 80 Pfennig stamp.
108 Two one Mark stamps.
109 How much is a phone call to Vienna?

STAYING AT A CAMP SITE, HOSTEL OR HOTEL *page* 54

110 Where is the hostel warden?
111 Can I camp here?
112 Where can I park round here?
113 Have you got beds for two boys for one night?
114 Have you got a place for a tent for two nights?
115 Have you got a single room with a bath for a week?
116 Have you got a room for two with a shower?

FEELING ILL *page* 56

117 I don't feel very well.
118 I'm ill.
119 I'm hot.
120 I feel sick.
121 My arm hurts.
122 I've got a headache.
123 Have you got anything for earache?

MAKING A DATE *page* 58

124 Are you coming too?
125 Yes, I'd like to come.
126 No, I'm afraid I can't come.
127 No, I don't want to.
128 I'm going dancing.
129 I'm going for a walk.
130 Let's meet outside the disco.
131 When shall we meet?
132 I'm looking forward to it.
133 See you tomorrow!

COPING WITH PROBLEMS *page* 61

134 Excuse me [for interrupting].
135 Sorry [for what I've done].
136 Sorry [about your misfortune].
137 Pardon?
138 I'm frightened.
139 I've got a problem.
140 I don't know.
141 What's that?
142 I don't understand.
143 Help!
144 Could you repeat that?
145 Please speak more slowly.
146 What's the German for *lost*?
147 I've left my money at home.
148 I've missed the train.
149 I've lost my purse.
150 It's big and brown and made of leather.
151 Do you speak English?
152 Yes, I speak English.
153 Yes, I speak German a little.
154 No, I speak only a little German.
155 No, I don't speak French.

1 bis 1000

		30	dreißig	**60**	sechzig	**90**	neunzig
1	eins	**31**	einunddreißig	**61**	einundsechzig	**91**	einundneunzig
2	zwei	**32**	zweiunddreißig	**62**	zweiundsechzig	**92**	zweiundneunzig
3	drei	**33**	dreiunddreißig	**63**	dreiundsechzig	**93**	dreiundneunzig
4	vier	**34**	vierunddreißig	**64**	vierundsechzig	**94**	vierundneunzig
5	fünf	**35**	fünfunddreißig	**65**	fünfundsechzig	**95**	fünfundneunzig
6	sechs	**36**	sechsunddreißig	**66**	sechsundsechzig	**96**	sechsundneunzig
7	sieben	**37**	siebenunddreißig	**67**	siebenundsechzig	**97**	siebenundneunzig
8	acht	**38**	achtunddreißig	**68**	achtundsechzig	**98**	achtundneunzig
9	neun	**39**	neununddreißig	**69**	neunundsechzig	**99**	neunundneunzig
10	zehn	**40**	vierzig	**70**	siebzig	**00**	
11	elf	**41**	einundvierzig	**71**	einundsiebzig	**0**	null
12	zwölf	**42**	zweiundvierzig	**72**	zweiundsiebzig	**100**	hundert
13	dreizehn	**43**	dreiundvierzig	**73**	dreiundsiebzig	**200**	zweihundert
14	vierzehn	**44**	vierundvierzig	**74**	vierundsiebzig	**500**	fünfhundert
15	fünfzehn	**45**	fünfundvierzig	**75**	fünfundsiebzig	**1000**	tausend
16	sechzehn	**46**	sechsundvierzig	**76**	sechsundsiebzig		
17	siebzehn	**47**	siebenundvierzig	**77**	siebenundsiebzig		
18	achtzehn	**48**	achtundvierzig	**78**	achtundsiebzig		
19	neunzehn	**49**	neunundvierzig	**79**	neunundsiebzig		
20	zwanzig	**50**	fünfzig	**80**	achtzig	Die Jahre	
21	einundzwanzig	**51**	einundfünfzig	**81**	einundachtzig	**1900**	neunzehnhundert
22	zweiundzwanzig	**52**	zweiundfünfzig	**82**	zweiundachtzig	**1999**	neunzehnhundert-neunundneunzig
23	dreiundzwanzig	**53**	dreiundfünfzig	**83**	dreiundachtzig	**2000**	zweitausend
24	vierundzwanzig	**54**	vierundfünfzig	**84**	vierundachtzig	**1001**	zweitausendeins
25	fünfundzwanzig	**55**	fünfundfünfzig	**85**	fünfundachtzig		
26	sechsundzwanzig	**56**	sechsundfünfzig	**86**	sechsundachtzig		
27	siebenundzwanzig	**57**	siebenundfünfzig	**87**	siebenundachtzig		
28	achtundzwanzig	**58**	achtundfünfzig	**88**	achtundachtzig		
29	neunundzwanzig	**59**	neunundfünfzig	**89**	neunundachtzig		

ANWEISUNGEN

beantworte!	*answer*
beschreib(e)!	*describe*
bestell(e)!	*order*
biete . . . an!	*offer*
erzähl mir!	*tell me*
finde!	*find*
finde . . . heraus!	*find out*
kauf(e)!	*buy*
lies!	*read*
mach(e)!	*make*
reagiere!	*respond*
sag!	*say*
stell(e) eine Frage!	*ask a question*
wähl(e)!	*choose*

Fragestellung

	Examples:	Pages
Hast du . . .?	*Have you got . . .?*	3, 11, 15
Haben Sie . . .?	*Have you got . . .? (formal form)*	36, 44, 54, 57
Gibt es . . .?	*Is there . . .?*	40
Muss ich . . .?	*Do I have to . . .?*	28
Darf ich . . .?	*May I . . .?*	33
Ist das . . .?	*Is that . . .?*	30
Möchtest du . . .?	*Would you like . . .?*	35
Kann ich . . .?	*Can I . . .?*	41, 45
Könnten Sie . . .?	*Could you (formal form)*	51
Sprechen Sie . . .?	*Do you speak . . .?*	63
Wie heisst . . .?	*What's . . . called?*	2, 3
Wie alt . . .?	*How old . . .?*	2, 3
Wie groß . . .?	*How big . . .?*	2
Was . . .?	*What . . .?*	2, 9, 15, 19, 21, 23, 24
Wie ist . . .?	*What's . . . like?/How is . . .?*	2, 3, 12, 17
Bist du . . .?	*Are you . . .?*	5
Wie oft . . .?	*How often . . .?*	5
Welche . . .?	*Which . . .?*	5, 15, 23
Was für . . .?	*What kind of . . .?*	7, 13, 14, 16, 24
Wo . . .?	*Where . . .?*	7, 12, 13, 51, 53, 54
Woher . . .?	*Where from . . .?*	11, 40
Wann . . .?	*When . . .?*	12, 17, 24, 25, 26, 27, 28, 59, 69
Wie lange . . .?	*How long . . .?*	12, 19
Was gibt es . . .?	*What is there . . .?*	14, 45
Der wievielte . . .?	*What date . . .?*	17
Wohin . . .?	*Where to . . .?*	19, 21
Warum . . .?	*Why . . .?*	5, 23, 27
Seit wann . . .?	*Since when . . .?*	23
Um wie viel Uhr . . .?	*What time . . .?*	26, 27
Was kostet/was kosten . . .?	*What does/do . . . cost?*	37, 53
Wo haben Sie . . .?	*Where do you have . . .?*	38
Wie komme ich . . .?	*How do I get . . .?*	42
Kommst du . . .?	*Do you want to come . . .?*	58